1 délectable
2 moyen
3 passable
4 médiocre

Je dédie ce livre
à ma mère
Hazel Chelf

LA GRANDE CUISINE VÉGÉTARIENNE

ISBN 2-7604-0039-5

Dépôt légal : 4e trimestre 1979

Vicki Chelf Hudon

LA GRANDE CUISINE VÉGÉTARIENNE

Traduit et adapté de l'anglais par Danielle SOUCY

Stanké

Table des matières

PAINS, MUFFINS ET CRAQUELINS

SOUPES

LÉGUMES

SALADES

SAUCES

DESSERTS

Remerciements

J'aimerais remercier tous les gens qui ont contribué à la réalisation de ce livre et plus particulièrement Claude Hudon, « dégustateur officiel », qui m'aidait à manger même les plats manqués ; Danielle Soucy qui, dépassant ses fonctions de traductrice, a consacré énormément de temps et d'énergie à la réalisation de ce livre ; Jacques Girard, autre goûteur empressé ; Lynn et Claude Gauthier, qui m'ont encouragée et conseillée, et Christina Kresh qui m'a aidée à réviser le manuscrit.

Merci également à tous ceux et celles qui ont bien voulu partager leurs recettes :

Constance Biddle
Lucie Legault
Diane Preston
Hazel Chelf
Micheline Davidson
Nicolette
Martine Lemieux
Soher Boutros
Kelly Lucas
Juan
Brenda Pendleton
Kat Dyson
Tom Gilmour
Stéphane Bertrand

Introduction

Voilà un livre simple et pratique qui vous permettra de rester en santé et de bien manger sans viande ni poisson. Il n'est pas destiné qu'aux seuls végétariens, mais à tous ceux qui s'intéressent à une alimentation saine ou qui souhaitent briser la routine des menus répétitifs « viande-et-pommes-de-terre ». Les recettes qui y sont présentées ont été créées et choisies en fonction de trois critères : elles sont pratiques, saines et, comme en conviendront ceux qui les essaieront, délicieuses.

Si vous avez des difficultés avec le système métrique, consultez le tableau des équivalences à la page 34.

Pourquoi être végétarien ?

Nombreux et variés sont les arguments qui militent en faveur du végétarisme : raisons écologiques, économiques, médicales, spirituelles, et même émotives. Qui n'a pas un jour éprouvé des regrets devant l'abattage d'un bel animal ? Mais les gens repoussent tout sentiment de remords, croyant ainsi remplacer une émotion puérile par une attitude plus réaliste : en effet, pensent-ils, n'est-il pas nécessaire de manger de la viande pour vivre ? Heureusement pour nous, et malheureusement pour les animaux, peu d'entre nous participent directement au processus qui transforme les animaux en « aloyau », en « poitrine » et en « filet ». L'ironie de tout cela, c'est qu'il devient de plus en plus clair qu'un régime carné, loin d'être indispensable au bon fonctionnement de l'organisme, peut au contraire lui être néfaste.

Les statistiques prouvent, en effet, que la concentration d'insecticides contenus dans la viande est douze fois supérieure à celle des légumes et des céréales[1]. Une consommation quotidienne de viande a donc pour effet d'accumuler dans l'organisme une forte quantité d'insecticides dont les effets à long terme, trop peu connus, sont à craindre. En outre, on sait maintenant qu'il existe une relation certaine entre la consommation de matières

---

1. *Répertoire québécois des outils planétaires*, Éditions Mainmise et Flammarion Ltée, Montréal, 1977, p. 152.

grasses et les maladies cardio-vasculaires. Or la viande, et tout particulièrement le bœuf et le porc, comporte une quantité importante de matières grasses, sans compter celles qui s'y ajoutent au moment de la cuisson. Malgré les contrôles de qualité imposés par l'État, peut-on être sûr de la fraîcheur de la viande offerte dans les supermarchés ? Le scandale de la viande avariée, survenu au Québec il y a quelques années, nous a révélé l'existence de pratiques scandaleuses dans ce domaine.

Avec la publication de *Diet for a small planet* de Frances Moore Lappé[2], la doctrine végétarienne s'est enrichie d'arguments écologiques et économiques très importants. La thèse de Mme Lappé démontre, statistiques à l'appui, que l'élevage du bétail entraîne un gaspillage inacceptable de céréales et de terres cultivables. Aux États-Unis, plus de la moitié des récoltes de céréales servent à nourrir le bétail. Avec ces millions de tonnes de soya et d'avoine, on pourrait fournir chaque jour, à chaque être humain de la terre, une tasse de céréales cuites ! Non seulement le bétail consomme-t-il des quantités astronomiques de céréales, mais encore il en gaspille une proportion importante. Ainsi, un bouvillon moyen doit consommer 7.25 kg de céréales pour produire 0.45 kg de viande, ce qui revient à dire que l'industrie de la viande engloutit les protéines végétales à un rythme effarant. Avons-nous les moyens et le droit moral de gaspiller de précieuses protéines pour fournir de la viande aux privilégiés des pays riches pendant que la moitié du monde meurt de faim ? Et que penser de la pollution produite par les milliers de tonnes de déchets provenant du bétail ? Pour toutes ces raisons écologiques, économiques et humanitaires, il semble évident que la consommation de viande telle qu'elle existe actuellement est un facteur de déséquilibre au niveau des ressources alimentaires de la planète.

Enfin, le végétarisme s'inscrit dans un courant de pensée spirituelle. Ceux qui méditent affirment que la

2. Ce livre a été traduit en français sous le titre « *Sans viande et sans regrets* », Éditions l'Étincelle, Montréal, 1976.

pratique du végétarisme prédispose à une plus grande paix intérieure et favorise l'épanouissement des facultés supérieures. La religion hindoue, qui défend la doctrine du karma, prône le végétarisme parce qu'il cause moins de souffrance et de violence. Aussi, pour un grand nombre de végétariens, le végétarisme est beaucoup plus qu'un simple régime alimentaire.

La vie se nourrit de la vie. Plantez un haricot ou un grain de blé : il germera. Mettez une carotte dans l'eau : un joli feuillage apparaîtra. La vie se manifeste, forte et saine. Les végétaux tirent leur énergie directement du soleil. Puis vient un animal herbivore qui mange la plante. Au bout de la chaîne alimentaire, le carnivore qui mange l'animal n'obtient ainsi qu'une fraction de l'énergie initiale captée par la plante. Pourquoi nous contenter d'une énergie appauvrie, dégénérée par des transferts successifs ?

« On est ce qu'on mange »

Alice au pays des merveilles

Lexique

Lexique des produits naturels

AGAR-AGAR : Algue marine gélatineuse, transparente et sans saveur. Aliment très digestible, l'agar-agar remplace avantageusement la gélatine animale dans les desserts en gelée, les confitures et les aspics.

ALFALFA : v. luzerne.

ARROW-ROOT : Fécule comestible faite avec le rhizome d'une plante d'Amérique tropicale. Très digestible et riche en minéraux, l'arrow-root remplace la fécule de maïs dans les sauces, qu'elle épaissit.

AVOINE, FLOCONS D' : Avoine à grain entier qui a été roulée et écrasée.

AVOINE, GRUAU D' : v. avoine, flocons d'.

AVOINE, GRAINS D' : Grain entier dont on n'a enlevé que l'enveloppe non comestible. On s'en sert dans les soupes et les porridges.

BABEURRE : v. lait de beurre.

BLÉ, GERME DE : L'embryon du grain de blé est l'une des meilleures sources de vitamine E, la vitamine de la fertilité. Le germe de blé doit être consommé assez rapidement après l'achat et conservé au réfrigérateur, sinon il rancit et perd toute sa valeur nutritive. Le germe de blé cuit, scellé sous vide, qu'on vend dans les supermarchés, contient sans doute moins d'éléments nutritifs, mais sa fraîcheur est garantie. On le saupoudre sur les fruits, les céréales et sur certains plats de résistance. En boulangerie et en pâtisserie, il faut employer le germe cru. Ne pas confondre le *germe de blé*, partie du grain de blé, avec les germes obtenus par procédé de germination. (Voir la section sur la germination, p. 110).

BLÉ BOULGHOUR : v. boulghour.

BLÉ CONCASSÉ : Grains de blé entier qu'on a concassés afin d'en abréger le temps de cuisson.

BLÉ DUR : Cette variété de blé contient plus de protéines et de gluten que le blé mou. On utilise la farine de blé dur pour la fabrication du pain.

BLÉ MOU : On peut acheter les grains tels quels pour les faire germer ou les moudre dans le mélangeur. La farine de blé mou s'emploie surtout en pâtisserie (gâteaux, biscuits, etc.) et comme farine tout-usage. Cependant, comme elle est pauvre en gluten, il faut la mélanger à parts égales avec de la farine de blé dur si on veut faire du pain.

BLÉ NOIR : v. sarrasin.

BOULGHOUR : Blé dur décortiqué et précuit, originaire du Proche-Orient. Le boulghour a l'avantage de cuire rapidement. On s'en sert dans un grand nombre de recettes de céréales. Il peut remplacer le blé concassé.

CAROUBE, POUDRE DE : Poudre sucrée riche en minéraux obtenue en broyant les gousses du caroubier. On l'utilise comme substitut sain du chocolat.

CATHARME, HUILE DE : Elle est tout indiquée pour la grande friture car elle supporte de très hautes températures. Voir aussi huiles.

DATTES, SUCRE DE : Édulcorant naturel provenant du broyage de dattes séchées. Les dattes contiennent environ 70 p. cent de sucre.

« DULSE » : Algue très riche en iode. Elle possède un goût salé qui relève la saveur des soupes et des plats de légumes.

FARINES : v. blé dur ; blé mou ; riz brun ; sarrasin ; seigle ; soya ; maïs.

FROMAGE DE SOYA : v. tofu.

GLUTEN : Matière élastique riche en protéines qu'on retrouve en proportions variables dans les farines de blé dur et de blé mou. Le gluten est essentiel en boulangerie : il permet d'obtenir un pain léger, une mie élastique qui ne s'émiette pas. On utilise la farine de gluten, qui est une farine de blé sans amidon, pour enrichir les farines à faible teneur en gluten (seigle, avoine, soya, maïs). En cuisine chinoise traditionnelle, on fait frire la pâte de gluten mais il est également possible de la faire cuire à la vapeur ou de la faire bouillir.

HUILES : Les huiles raffinées commerciales sont extraites à l'aide de solvants à base de pétrole, puis elles sont chauffées à de très hautes températures, ce qui élimine les vitamines. Enfin, on les décolore et on les désodorise. Résultat : un produit inodore, incolore, sans saveur, difficile à digérer et qui plus est, absolument dépourvu de valeur nutritive.

Une bonne huile végétale non raffinée est pressée sans solvants et filtrée plutôt que raffinée. Elle contient de la vitamine E et de la lécithine, ce qui en facilite la digestion. Méfiez-vous de la mention « pressée à froid » : seules les olives et les graines de sésame peuvent véritablement produire de l'huile sans qu'on les soumette à la chaleur. Voir aussi : catharme, huile de ; olive, huile d' ; sésame, huile de ; soya, huile de ; tournesol, huile de ; maïs, huile de.

KASHA : Le « kasha » est le grain de sarrasin. Rôti puis cuit dans l'eau, comme du riz, il devient très léger et d'une saveur incomparable. On le mange au petit déjeuner, avec du miel et de lait. Il convient aussi à tous les plats farcis ou cuits au four.

LAIT DE BEURRE : À l'origine, le lait de beurre était le liquide qui restait après le barattage de la crème dans la fabrication du beurre. De nos jours, on le fabrique en

ajoutant à du lait écrémé une culture bactérienne semblable à celle du yoghourt. Le lait de beurre est riche en calcium et en protéines, mais il contient peu de matières grasses. On l'utilise comme le yoghourt, ou dans les préparations de gâteaux ou de crêpes.

LAIT EN POUDRE NON INSTANTANÉ : Le lait en poudre est un aliment concentré que l'on peut ajouter à presque toute préparation pour en augmenter la valeur protéinique. (Mélangez-le avec les ingrédients secs.) Évitez d'acheter du lait en poudre instantané : il a subi un traitement à haute température qui lui a fait perdre une proportion importante de ses éléments nutritifs.

LÉCITHINE : Substance organique qui contribue à réduire le taux de cholestérol du sang. On retrouve surtout la lécithine dans les jaunes d'œufs, les grains de soya et les huiles non hydrogénées. Un peu de lécithine granulée ajoutée à une recette de gâteau ou de pain permet de les conserver plus longtemps. (Il suffit de remplacer par de la lécithine $^1/_3$ de la quantité d'huile demandée.) Les magasins de produits naturels vendent la lécithine sous forme granulée ou en capsules.

LEVURE CHIMIQUE : La levure chimique commerciale, qu'on appelle ici « poudre à pâte » sous l'influence de l'anglais, contient une grande concentration de sodium et des composés d'aluminium. Or, le premier détruit les vitamines B et C tandis que l'autre est toxique. Il est donc recommandé d'utiliser une levure chimique sans aluminium, à faible teneur en sodium. Mieux encore, fabriquez votre propre levure artificielle (voir recette p. 76.)

LEVURE DE BIÈRE : La levure de bière contient peu de calories, beaucoup de protéines et de vitamines du groupe B ; elle constitue un aliment hautement énergétique et un excellent supplément alimentaire, peu coûteux de surcroît. On peut en ajouter une petite quantité aux recettes de pain ou de pâtisserie, ainsi qu'aux jus de fruits. Si le goût vous déplaît, achetez de la levure de bière non amère. Ne pas confondre la levure de bière avec la levure active sèche, qui contient des bactéries en état de latence. (On utilise cette dernière dans la fabrication du pain.)

LUZERNE, GRAINES DE : Petites graines brunes que l'on fait germer pour garnir les salades, les sandwiches ou les soupes. Les germes de luzerne ont une saveur exceptionnellement fraîche et comptent parmi les végétaux les plus nutritifs qui soient. (Voir la méthode de germination, p. 110.)

MAÏS, FARINE DE : Maïs séché finement moulu. La farine de maïs a une texture plus fine que celle de la semoule de maïs, plus grossièrement moulue. On les utilise dans diverses recettes de pain, de gâteaux, de biscuits ou de crêpes.

MAÏS, HUILE DE : La véritable huile de maïs non raffinée, d'un beau jaune ocre, possède une saveur très prononcée qui la rend impropre à la friture ou à l'assaisonnement des salades. En revanche, elle se prête bien à la cuisson des pains et des gâteaux, où sa saveur se lie sans les dominer à celles des autres aliments.

MAÏS, SEMOULE DE : Voir maïs, farine de.

MALT : Céréale germée, puis séchée et moulue. L'orge surtout est convertie en malt.

MÉLASSE : La mélasse, que nos grands-mères utilisaient d'abondance, est le résidu de la cristallisation de la canne à sucre. Elle est très riche en minéraux, surtout le potassium, et contient également des vitamines du groupe B. La mélasse pure, dite Blackstrap, est la plus nourrissante.

MIEL : Édulcorant naturel aisément assimilé par l'organisme, le miel pur non filtré est riche en minéraux : il contient aussi des vitamines, ce dont est dépourvu le sucre blanc. On recommande d'acheter du miel pur non pasteurisé. La saveur du miel varie selon la variété de fleurs que les abeilles ont butinées. Si votre miel devient granuleux, vous n'avez qu'à tremper le pot dans l'eau chaude : il se liquéfiera en quelques minutes. Si, dans l'exécution d'une recette traditionnelle, vous remplacez le sucre par du miel, ce que recommandent les diététiciens, la proportion de miel devra être légèrement inférieure à celle du sucre, soit 180 ml pour 240 ml. Un petit conseil pratique : quand dans une recette vous devez utiliser de l'huile et du miel, mesurez d'abord l'huile dans la tasse graduée. Le miel glissera ensuite sans coller le moindrement.

MILLET : Céréale cultivée surtout en Asie et en Afrique, le millet contient du fer, du magnésium, du potassium et des protéines. On le consomme au petit déjeuner, ou comme du riz, dans les plats de résistance. Il a l'avantage de cuire très rapidement.

MISO : Pâte brun foncé fabriquée avec des graines de soya, de l'orge, du sel de mer et du riz fermentés. Le miso facilite la digestion des aliments auxquels il est mélangé. On l'emploie surtout dans les potages et les sauces. Notez bien que le miso ne doit jamais cuire : il faut l'ajouter à la fin de la cuisson seulement.

NOIX ET AMANDES DIVERSES : Les amandes (ce terme désigne non seulement le fruit de l'amandier, mais aussi la graine de tout fruit à noyau) sont largement utilisées en cuisine végétarienne, car elles constituent une excellente source de protéines. Elles se digèrent facilement à l'état cru, aussi ne doit-on jamais les faire rôtir dans l'huile. Les amandes qui contiennent le plus de protéines sont, par ordre d'importance : les pignons, les arachides, les cajous, les pistaches, les noix américaines et les noix du Brésil.

OLIVE, HUILE D' : Cette huile naturelle nous provient des pays de la Méditerranée. La véritable huile d'olive pure, non raffinée, a une teinte verdâtre ou jaune ocre et une saveur distinctive. Comme elle est importée d'Italie ou de Grèce, son prix est assez élevé. Réservez-la à l'assaisonnement des salades et des légumes cuits.

ORGE : C'est, croit-on, la plus ancienne céréale qui ait été cultivée. L'orge qu'on trouve dans les supermarchés est généralement perlé, c'est-à-dire dépouillé de son enveloppe. Plus l'orge est blanche, moins elle contient d'éléments nutritifs. Les magasins de produits naturels offrent une orge de meilleure qualité, moins raffinée. Elle donne aux soupes une consistance crémeuse ; on l'utilise aussi dans divers plats cuits au four.

POUDRE À PÂTE : v. levure chimique.

RIZ, POLISSURES DE : Résidus du blanchiment du riz, les polissures sont pour ainsi dire le son du riz. Leur teneur en calcium, en phosphore, en vitamines B 1 et A est importante.

RIZ BRUN : Riz entier qui n'a pas été dépouillé de son enveloppe de son. Il est offert en variété à grain long, moyen ou court.

RIZ BRUN, FARINE DE : Farine moulue sur pierre, fabriquée à partir de riz brun à grain long. Mélangée à d'autres farines, elle rend plus croustillants biscuits et craquelins.

RIZ SAUVAGE : Haute plante aquatique qui pousse à l'état sauvage le long des cours d'eau lents d'Amérique du Nord, le riz sauvage (aussi appelé « zizanie aquatique » ou « folle avoine ») est un aliment naturel à la saveur recherchée. Sa récolte est difficile, aussi son prix est-il élevé. Comme le volume initial quadruple sous l'effet de la cuisson, cela demeure quand même un achat judicieux. Réservez le riz sauvage aux grandes occasions : c'est un mets raffiné, qui sort de l'ordinaire. (Voir méthode de cuisson p. 126.)

SARRASIN : Aussi appelé « blé noir », le sarrasin est une céréale très ancienne qui pousse dans les sols les plus arides. (Rappelons-nous la légendaire « galette de sarrasin » de ce cher Séraphin...) Grâce à sa résistance exceptionnelle, le sarrasin est cultivé sans insecticides. C'est donc un aliment très sain. Le sarrasin se vend sous forme de farine ou en grains. Voir aussi farine de sarrasin et kasha.

SARRASIN, FARINE DE : On la mélange à d'autres farines dans les pâtes à crêpes ou à gaufres. La farine de

sarrasin non raffinée a une couleur gris cendre caractéristique.

SÉSAME, BEURRE DE : Substance pâteuse provenant de la mouture des graines de sésame rôties et non décortiquées. Le beurre de sésame contient 45 p. cent de protéines et 55 p. cent d'huile et se digère très bien. On l'emploie dans les sandwiches, les bonbons, les biscuits et les sauces. Le « tahini », nom sous lequel on désigne parfois le beurre de sésame, est légèrement différent de ce dernier puisqu'il a été fait à partir de graines de sésame décortiquées, crues ou à peine rôties.

SÉSAME, GRAINES DE : Petite graine plate très riche en minéraux, particulièrement le calcium (1125 mg par tasse), le potassium, le fer et le phosphore. C'est aussi une bonne source de protéines. On les saupoudre sur les plats cuits au four, les céréales et les desserts. Excellent dans les recettes de pain.

SÉSAME, HUILE DE : Ingrédient traditionnel de la cuisine chinoise, l'huile de sésame possède une saveur accentuée. À utiliser avec parcimonie, quelques gouttes à la fois, pour relever le goût des aliments.

SEIGLE : Céréale qui peut être cultivée dans les régions nordiques trop froides pour le blé. Le seigle se vend sous forme de grains (à faire germer ou à cuire comme céréale du matin), en flocons ou en farine. (N'achetez que de la farine de seigle brune, non tamisée.)

SEL DE MER : Le sel de mer est évaporé par le soleil, puis brièvement étuvé. Sa teneur en minéraux essentiels est élevée contrairement au sel de table ordinaire qui est composé de chlorure de sodium additionné d'iode synthétique.

SIROP D'ÉRABLE : Ce produit traditionnel du Québec, à la saveur incomparable, peut remplacer le sucre dans les desserts. Assurez-vous cependant que vous achetez du sirop d'érable pur et non un sirop quelconque à saveur artificielle.

SON : Toute enveloppe extérieure d'un grain de céréale,

et plus particulièrement du blé, riche en fibres alimentaires. Pour fabriquer la farine blanche, on enlève le son du grain de blé.

SOYA, FARINE DE : Produit de la mouture des fèves de soya, la farine de soya contient peu de calories et beaucoup de protéines, comme tous les produits dérivés du soya, cette plante aux multiples usages. On la mélange à d'autres farines en boulangerie ou en pâtisserie mais on peut également l'utiliser seule dans les pâtes à crêpes.

SOYA, FROMAGE DE : v. tofu.

SOYA, HUILE DE : L'huile de soya naturelle, de couleur foncée, goûte véritablement les noix. On peut l'utiliser en boulangerie mais elle ne convient pas à la friture même légère car elle forme une mousse à la surface.

SOYA, PATE DE : v. miso.

SOYA, SAUCE : La véritable sauce soya est composée de graines de soya, de blé, de sel de mer et d'eau ; elle doit fermenter pendant deux ans. Rien de comparable à la prétendue sauce soya vendue dans les supermarchés, qui est un amalgame de colorants, d'agents de conservation, et d'additifs variés. Cette sauce a un goût salé qui accentue la saveur des plats de légumes ou de céréales, particulièrement le riz, le kasha et le boulghour. Les Japonais lui donnent le nom de « tamari ».

TAMARI : v. soya, sauce.

TOFU : Fromage fabriqué à partir du « lait » extrait des graines de soya, le tofu est une excellente source de protéines. Vous pouvez l'acheter dans les épiceries du quartier chinois et dans certains magasins d'aliments naturels, ou le fabriquer vous-même. Le tofu possède une saveur plutôt fade qui accueille bien le tamari, les aromates et les condiments.

TOURNESOL, GRAINES DE : On trouve des minéraux et des protéines dans ces graines au péricarpe noir et blanc. Les graines de tournesol constituent l'une des rares sources végétales de vitamine D, qui est essentielle à la croissance et à la fixation du calcium dans les os et les dents. Délicieuses avec du riz ou sur les plats gratinés.

TOURNESOL, HUILE DE : Elle possède une saveur délicate et son coût est abordable. C'est l'huile naturelle qui peut se prêter au plus grand nombre d'usages : cuisson, friture, pâtisserie ou boulangerie, assaisonnement des salades.

VARECH : Algue comestible très riche en iode et autres minéraux. Peut servir de substitut au sel de table commercial.

VINAIGRE : Diététiciens et spécialistes de la nutrition ne s'entendent pas sur la salubrité du vinaigre. Pour certains, c'est un aliment-miracle, pour d'autres, c'est un produit fermenté sans valeur. En attendant que le consensus se fasse sur la question, le meilleur achat demeure le vinaigre de cidre non pasteurisé, une bonne source de minéraux.

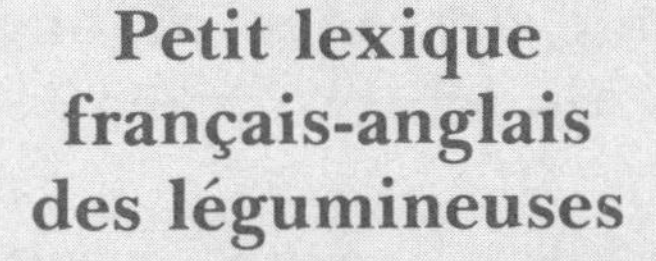

Petit lexique français-anglais des légumineuses

Pour faciliter votre compréhension, voici une brève liste des équivalents en langue anglaise des principales variétés de légumineuses offertes dans les magasins d'aliments naturels. Ces expressions figurent encore parfois sur certaines étiquettes de produits.

dolique à œil noir : blackeye bean
fève de soya : soy bean
flageolet : flageolet
gourgane : broad bean ou horse bean
haricot adzuki : adzuki bean
haricot blanc : white kidney bean
haricot blanc fin : small white bean
haricot de Lima : Lima bean
haricot Great Northern : Great Northern bean
haricot mungo : mung bean
haricot Pinto : Pinto bean
haricot rouge : (red) kidney bean
lentille (rouge ou verte) : (red or green) lentil
petit haricot blanc : navy bean
pois cassé vert ou jaune : green or yellow split pea
pois chiche : chick pea

Table des équivalences de température

Système canadien (Fahrenheit)	Système métrique (Celsius)
250°	120°
275°	140°
300°	150°
325°	160°
350°	180°
375°	190°
400°	200°
425°	220°
450°	230°

Table des équivalences de quantités

60 ml	1/4 tasse
120 ml	1/2 tasse
180 ml	3/4 tasse
240 ml	1 tasse
360 ml	1 1/2 tasse
480 ml	2 tasses
600 ml	2 1/2 tasses
720 ml	3 tasses
960 ml	4 tasses
1220 ml	5 tasses

Magasins d'aliments naturels et produits naturels

Le qualificatif « naturel » est employé à toutes les sauces de nos jours. Il suffit de songer, par exemple, aux « savons au parfum naturel » dans lesquels, effectivement, seule l'odeur mérite le qualificatif de naturel. Pour éviter toute équivoque, peut-être serait-il préférable d'employer plutôt des expressions comme « produit non raffiné », « moins raffiné » ou tout simplement « sain ». Le magasin d'aliments naturels offre une variété d'aliments de base essentiels à une cuisine intéressante et saine. Coopérative ou entreprise privée, c'est un lieu d'approvisionnement en produits de grain entier, huiles non raffinées, sauce soya pure et autres produits variés incontestablement supérieurs à leurs homonymes du supermarché.

Il est aussi important de lire les étiquettes des produits dans un magasin d'aliments naturels que dans un supermarché. Là comme ailleurs, les produits déjà mélangés ou présentés dans des emballages sophistiqués coûtent plus cher. Toutefois, certains aliments comme le pain ou les nouilles de blé entier vous permettent d'économiser du temps. Les aliments offerts en vrac, grains et légumineuses par exemple, sont assurément d'excellente qualité et très économiques à l'achat. Quoi qu'il en soit, le prix n'est pas le seul critère de choix. La farine de blé entier et le miel sont certes plus chers que le pain blanc et le sucre, mais leur valeur nutritive est considérablement plus élevée. C'est une erreur de logique que de comparer en termes de prix un aliment véritable qui nourrit et fortifie notre corps et un autre qui contient surtout des calories vides et peut-être quelques vitamines chimiques.

Faites vos achats avec discernement et recherchez les aliments qui vous permettront de cuisiner sainement. Les bons magasins d'aliments naturels sont de plus en plus nombreux, au service d'une clientèle toujours plus abondante. Lorsque vous évaluez les mérites d'un magasin d'aliments naturels, comparez les critères de prix, de qualité, de variété, de propreté et de localisation.

Petits déjeuners

On n'insistera jamais assez sur l'importance du repas matinal. Comparez l'énergie que vous dépensez pendant la journée et celle que vous consommez pendant vos activités du soir (lecture, télévision, etc.) et vous conviendrez qu'il est normal et logique de manger plus abondamment le matin que le soir. Bien des gens pourtant avalent à la hâte un petit déjeuner sans réelle valeur nutritive ; d'autres escamotent tout simplement leur premier repas. Si vous souhaitez vraiment sauter un repas, il est préférable que ce soit celui du soir. De toute façon, deux bons repas par jour suffisent amplement pour la plupart des adultes. Prendre le temps de manger un bon petit déjeuner composé d'aliments sains et naturels est une excellente façon de bien commencer la journée. L'avoine, le blé, le millet, le sarrasin et le riz peuvent s'apprêter de multiples façons, garnis de fruits frais, arrosés de lait ou de yoghourt, saupoudrés de germe de blé. En hiver, donnez la préférence aux céréales chaudes, aux omelettes, aux noix et aux graines diverses : nous avons besoin d'un surcroît d'énergie pendant ces journées froides. L'été, choisissez des fruits frais, du yoghourt, des mélanges de céréales de type « granola ». Si vous désirez arrêter de boire du café, ou diminuer votre consommation, essayez le café d'orge grillée : avec un peu de miel et du lait chaud, c'est une boisson chaude naturelle et réconfortante.

Vous trouverez à la fin du chapitre des suggestions de petits déjeuners qui vous aideront à redécouvrir le plaisir de bien manger au réveil.

Granola cinq grains

(donne environ 2.5 l
de céréales) (10 t)

720 ml de flocons d'avoine (gruau)
240 ml de farine de blé entier
240 ml de germe de blé
120 ml de farine de soya
120 ml de farine de seigle
120 ml de semoule de maïs
120 ml de graines de sésame
240 ml de noix de coco non sucrée

120 ml d'huile
240 ml de mélasse
120 ml d'eau
1 c à soupe de vanille

240 ml de raisins secs

Mélanger les huit premiers ingrédients dans un grand récipient.

Dans le mélangeur, ou à l'aide d'un batteur à œufs, mélanger l'huile, la mélasse, l'eau et la vanille. Verser ce mélange liquide sur les ingrédients secs et bien mélanger.

Étendre une mince couche sur une plaque à biscuits et cuire au four à 120°C de 25 à 30 minutes, jusqu'à ce que les céréales soient dorées. Remuer fréquemment pendant la cuisson.

Ajouter les raisins.

Laisser refroidir. Conserver dans des bocaux de verre bien fermés.

Granola à l'érable

1 kg de flocons d'avoine (gruau)
180 ml d'huile
360 ml de sirop d'érable
480 ml de noix de coco râpée non sucrée
— ou —
1 noix de coco fraîchement râpée
480 ml de graines de tournesol
240 ml de germe de blé
120 ml de graines de sésame
720 ml de flocons de blé

600 ml de raisins secs

Mettre les flocons d'avoine dans un grand récipient (wok, cocotte à mijoter ou rôtissoire) et y verser lentement l'huile. Bien mélanger.

Verser le sirop et remuer à nouveau.

Incorporer tous les autres ingrédients dans l'ordre indiqué, sauf les raisins secs et mélanger après chaque addition.

Étendre une couche mince sur une plaque à biscuits et cuire au four à 160°C pendant 10 minutes ; réduire le feu à 150°C et cuire encore de 5 à 10 minutes, jusqu'à ce que les céréales aient pris une teinte dorée. Pendant la cuisson, remuer fréquemment pour éviter que les céréales ne brûlent.

Ajouter les raisins.

Laisser refroidir. Conserver dans des bocaux de verre bien fermés.

Note : Les granolas se conservent longtemps, aussi est-il utile d'en préparer une grande quantité à l'avance. On les mange avec des fruits, arrosés de lait au petit déjeuner ou nature, comme collation.

Muesli

(720 ml)

480 ml de flocons d'avoine (gruau)
240 ml de germe de blé
120 ml de noix hachées
120 ml de raisins secs

lait
une pomme par personne
sirop d'érable

Mettre l'avoine dans la jarre du mélangeur et moudre quelques instants. Mélanger l'avoine avec le germe de blé, les noix et les raisins secs. Conserver au réfrigérateur, dans un bocal bien fermé.

Pour servir

Mettre la quantité désirée dans un petit bol. Couvrir de lait, brasser et laisser reposer de 10 à 15 minutes.

Laver la pomme et la râper. (*Ne pas la peler* : les vitamines se logent dans la pelure !) Mélanger avec les céréales. Sucrer avec le sirop d'érable, selon le goût.

Blé cuit au thermos

(4 à 6 déjeuners)

240 ml de grains de blé
600 ml d'eau
1/2 c à thé de sel

Accessoire : 1 thermos de 1.13 l, à grande ouverture.

La veille au matin, laver et trier les grains de blé. Mettre le blé dans un bol et couvrir d'eau. Laisser tremper toute la journée.

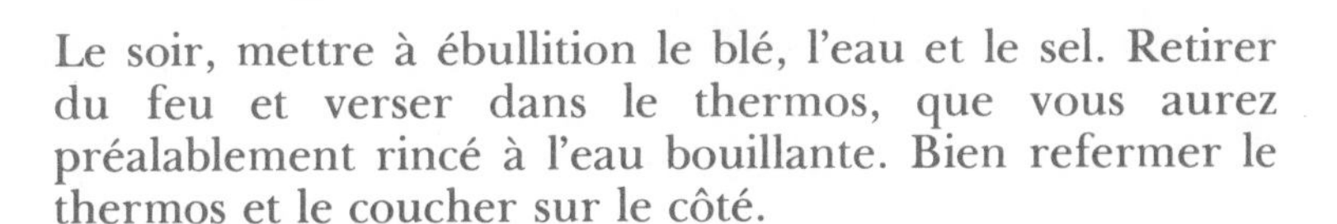

Le soir, mettre à ébullition le blé, l'eau et le sel. Retirer du feu et verser dans le thermos, que vous aurez préalablement rincé à l'eau bouillante. Bien refermer le thermos et le coucher sur le côté.

Au matin, les grains de blé sont cuits, prêts à être consommés avec des fruits et du lait.

Note : Les grains de blé cuits de cette façon peuvent remplacer le riz dans de nombreuses recettes.

Bouillie de maïs et de soya

(4 portions)

120 ml de semoule de maïs
60 ml de semoule de soya
240 ml d'eau froide
120 ml de raisins secs (facultatif)

240 ml d'eau bouillante
1 pincée de sel

Mêler le maïs et le soya. Verser l'eau froide sur les céréales et remuer jusqu'à l'obtention d'une pâte lisse. Ajouter les raisins et saler.

Verser le mélange de céréales dans l'eau bouillante et porter à ébullition, sans couvrir. Mettre à feu doux, couvrir et cuire 15 minutes, en remuant de temps à autre.

Servir cette céréale chaude avec du lait, du miel ou du sirop d'érable et des fruits.

Variante

Carrés de maïs

(4 portions)

Mêmes ingrédients que la recette précédente.

Cuire le maïs et le soya de la façon indiquée dans la recette « Bouillie de maïs et de soya ».

Verser la préparation dans un moule carré préalablement enduit d'huile, ou deux moules à pain rectangulaires. Presser la préparation. Laisser refroidir.

Découper en carrés et frire les carrés sur les deux faces.

Servir avec du miel, de la mélasse ou du sirop d'érable. Les raisins secs sont facultatifs dans cette recette.

Millet du matin

(4 portions)

480 ml d'eau
1 grosse pincée de sel

120 ml de millet
120 ml de raisins secs

Porter à ébullition l'eau salée.

Mettre le millet et les raisins secs dans l'eau, couvrir et cuire à feu moyen pendant 30 minutes ou jusqu'à ce que l'eau soit complètement absorbée.

Parsemer de graines de tournesol, de noix hachées ou de germe de blé et servir avec des fruits frais et du lait.

Kasha du réveil

(de 4 à 6 portions)

240 ml de kasha
1 œuf

600 ml d'eau bouillante
une grosse pincée de sel

Mélanger l'œuf et le kasha dans une poêle. Cuire à feu moyen environ 10 minutes en remuant fréquemment pour éviter que les grains ne brûlent.

Verser l'eau bouillante salée. Couvrir et cuire à feu doux de 20 à 25 minutes, jusqu'à ce que l'eau soit complètement absorbée. (Éviter de remuer.)

Servir cette céréale chaude ou froide avec du lait, des fruits et du miel.

Note : Apprêté de cette façon, le kasha peut aussi être servi au souper avec des légumes ou nappé d'une sauce.

Crêpes au lait de beurre

(4 portions)

240 ml de farine de blé entier
1 c à thé de soda
1 pincée de sel
1 œuf battu
240 ml de lait de beurre

Mêler la farine, le soda et le sel. Incorporer l'œuf battu et le lait de beurre. Mélanger à la cuillère de bois.

Déposer de grosses cuillerées sur une poêle huilée, chauffée à feu moyen. Cuire jusqu'à ce que des bulles se forment à la surface de la crêpe, puis la retourner et cuire l'autre côté.

Note : Cette préparation donne des crêpes de type américain (*pancake*), plus petites et plus épaisses que les crêpes françaises ; grâce au lait de beurre, elles sont légères et d'un goût très fin. Elles sont délicieuses avec du fromage blanc, du yoghourt ou des fruits frais : bananes, fraises, framboises, bleuets.

Crêpes de la meunière

(4 portions)

240 ml de grains de blé
320 ml d'eau

240 ml de lait en poudre non instantané
2 c à thé de levure à pâtisserie (« poudre à pâte »)
1 c à thé de sel
2 œufs battus
3 c à soupe d'huile
1 c à soupe de miel

Laver et trier les grains de blé. Mélanger avec l'eau dans le mélangeur jusqu'à l'obtention d'un liquide homogène.

Dans un bol, mêler le lait en poudre, la levure à pâtisserie et le sel. Incorporer les œufs, l'huile et le miel, et bien mélanger. (La préparation doit être parfaitement lisse.)

Verser la préparation dans le mélangeur avec le blé moulu et battre quelques instants.

Frire les crêpes comme à l'ordinaire, dans une poêle bien huilée.

Crêpes trois grains

(donne 840 ml de pâte)
($3^1/_2$ t)

mélange sec

240 ml de flocons d'avoine (gruau)

240 ml de farine de blé entier à pâtisserie
240 ml de farine de soya
120 ml de lait en poudre
1 c à soupe de levure à pâtisserie (« poudre à pâte »)
1 c à thé de sel

Verser les flocons d'avoine dans le bol du mélangeur et réduire en farine.

Tamiser la farine d'avoine avec les autres ingrédients secs.

Conserver dans un bocal de verre bien fermé.

pâte à crêpes (3 ou 4 portions)

240 ml de mélange sec
3 œufs battus
180 ml de lait

Battre les œufs avec le lait et verser sur le mélange sec. Bien mélanger.

Verser la pâte par grosses cuillerées sur une poêle préalablement huilée et chauffée à feu modérément vif. Brunir de chaque côté en retournant la crêpe une fois.

Servir avec du miel ou du sirop d'érable, des fruits et du yoghourt.

Omelette au blé germé

(1 portion)

- 2 œufs
- 1/4 c à thé de romarin frais (1/8 c à thé de romarin séché)
- 1 c à soupe de lait

- 80 ml de fromage râpé
- 80 ml de blé germé (voir le chapitre sur le procédé de la germination)

- 1 c à soupe d'huile

Battre les œufs avec le lait, le sel et le romarin. Ajouter le fromage et le blé. Mélanger. Chauffer un poêlon badigeonné d'huile. Verser l'omelette liquide, réduire le feu et cuire lentement, environ 10 minutes.

Plier l'omelette et servir.

Note : Vous pouvez servir cette omelette comme plat principal, accompagnée d'une salade verte et d'un légume cuit.

Soupe Fanfreluche

(6 portions)

- 240 ml de raisins secs
- 240 ml de pruneaux secs
- 120 ml de raisins de Corinthe
- 480 ml d'eau

- 720 ml de jus de pomme
- 120 ml de jus de raisin non sucré

Laisser les fruits tremper dans l'eau toute une nuit.

Le lendemain, porter le mélange à ébullition et laisser mijoter environ 10 minutes, jusqu'à ce que les fruits soient tendres.

Ajouter les jus de fruits.

Autre méthode

Si vous n'avez pas le temps de faire tremper les fruits, vous pouvez simplement laisser mijoter l'eau et les fruits de 20 à 25 minutes, puis ajouter les jus.

Note : Cette soupe de fruits à la mode scandinave peut être servie chaude ou froide au petit déjeuner, accompagnée de toasts de blé entier et de fromage ricotta. Un plat très original qui convient bien aux brunchs.

Suggestions pour le petit déjeuner

1. Muffins au son
   banane
   verre de lait
2. Gâteau à la compote de pommes
   salade de fruits
   yoghourt
3. Jus d'orange frais
   restes de riz brun cuit parsemés de dattes hachées et arrosés de lait
4. Fromage
   Zwieback
   raisins frais
   poire
5. La moitié d'un pamplemousse
   Omelette au blé germé (voir recette)
6. Tranche de pain de grain entier tartinée de tahini fouetté
   noix crues
   tranches de pêche
7. Framboises, rondelles de banane et morceaux de pêche saupoudrés de germe de blé et arrosés de lait ou de yoghourt
8. Soupe Fanfreluche (voir recette)
   tranches de pain de blé entier grillées
   fromage ricotta

9. Crêpes de la meunière (voir recette)
   bleuets
   yoghourt et sirop d'érable
10. Jus de pamplemousse
    gruau cuit parsemé de raisins secs et garni de graines de tournesol
    lait
11. Blé germé avec du lait et des raisins secs
12. Granola à l'érable arrosé d'un mélange de lait de beurre et de compote aux pommes
13. Caroubanane (voir recette)
    rôties
    beurre d'arachides

Pains, muffins et craquelins

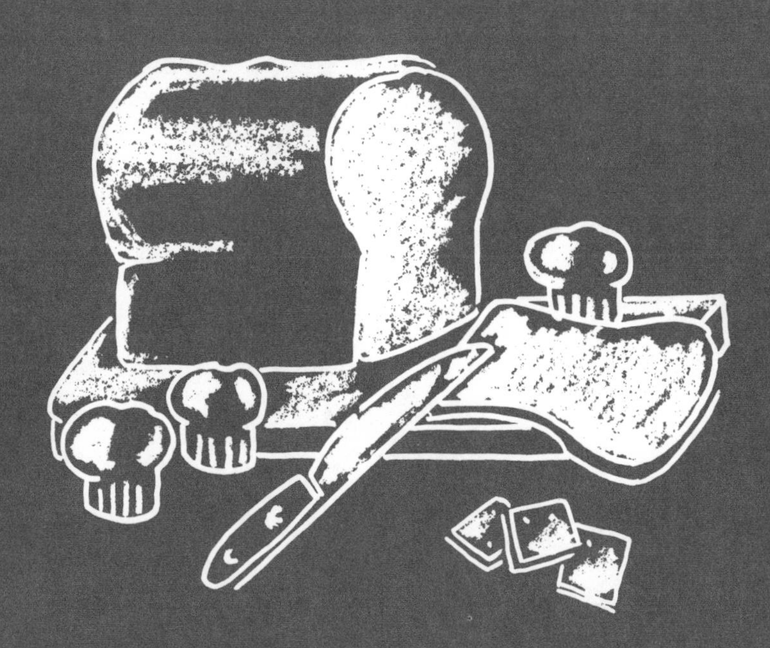

Le pain est un élément essentiel de l'alimentation quotidienne, non seulement ici au Québec mais un peu partout dans le monde. C'est le symbole de la bonne cuisine traditionnelle, la représentation universelle de la subsistance. Comme nous consommons beaucoup de pain, il est essentiel que celui-ci soit de qualité, fabriqué à partir de farine à grain entier et exempt de tout colorant, agent de conservation artificiel ou matière grasse hydrogénée.

Comparez l'aspect, la consistance d'une tranche de pain blanc à celle d'une tranche de pain de blé entier. L'une est molle, sans tenue, d'un blanc artificiel ; l'autre est ferme, odorante et elle a la belle couleur brun pâle du son de blé. Comparez maintenant la liste des ingrédients. Celle du pain blanc révèle la présence importante de bon nombre d'ingrédients chimiques, dont le sulfate de calcium, le chlorure d'ammonium, le bromate de potassium, le chlorhydrate de L-cystéine, le propionate de calcium, etc. Un bon pain de grain entier ne contiendra que les quelques ingrédients essentiels : farine de grain entier, sel de mer, levure, eau pure. Mais vous serez sans doute convaincu lorsque vous goûterez la différence... Rares sont ceux qui reviennent au pain blanc après avoir essayé pendant quelque temps du pain brun naturel. Méfiez-vous du pain brun de blé entier fabriqué par les grosses boulangeries : l'étiquette révèle qu'il contient autant d'agents de conservation artificiels que le pain blanc. Il est donc préférable d'acheter votre pain dans les magasins d'aliments naturels. La meilleure solution reste évidemment de fabriquer votre propre pain à la maison. Faire du pain n'est ni difficile ni mystérieux, et cela demande beaucoup moins de temps qu'on serait porté à le croire. L'ensemble des opérations (mélange des ingrédients, pétrissage, levage et cuisson) dure environ quatre heures, mais vous n'êtes véritablement occupé que le quart de ce temps ; pendant que la pâte lève ou cuit, vous pouvez vaquer à d'autres occupations. Si vous n'avez jamais fait de pain auparavant, il est plus facile d'essayer avec quelqu'un qui en a déjà fait l'expérience. Sinon, essayez la recette de « Pain de ménage » qui suit : dans cette section intitulée « L'abc de la boulangerie », chaque étape de la fabrication du pain est expliquée en détail, avec notes à l'appui sur le rôle de chaque ingrédient. Bonne chance et bon pain !

Pain de ménage

(donne 2 miches)

60 ml d'eau tiède
1 goutte de miel
2 c à soupe de levure active sèche

480 ml d'eau tiède
60 ml d'huile
60 ml de miel
2 c à thé de sel
de 1340 à 1680 ml (de 6 à 7 t) de farine de blé entier dur (farine à pain)

Verser l'eau tiède et la goutte de miel dans un petit bol. Y saupoudrer la levure. Laisser reposer pendant 10 minutes.

Dans un grand bol, mélanger les deux tasses d'eau tiède, l'huile, le miel, le sel et la levure humectée.

Incorporer 720 ml de farine et battre 100 fois à la cuillère de bois.

Ajouter graduellement le reste de la farine jusqu'à ce que la pâte puisse se pétrir.

Pétrir pendant 10 minutes ou plus. La pâte doit être lisse, élastique et non collante à la fin du pétrissage.

Mettre la pâte dans un bol badigeonné d'huile et laisser lever dans un endroit tiède à l'abri des courants d'air jusqu'à ce que la pâte atteigne le double de son volume.

Faire dégonfler la pâte en y enfonçant le poing. Pétrir brièvement une seconde fois. Façonner selon la forme désirée. Placer dans les moules.

Laisser lever une seconde fois de sorte que le volume de la pâte double.

Cuire au four à 180°C pendant 45 minutes.

Note : Vous trouverez au début du présent chapitre sous le titre « L'abc de la boulangerie » l'explication détaillée, étape par étape, de la présente recette.

L'abc de la boulangerie

Le pourquoi et le comment de chaque opération de la fabrication du pain de ménage.

Recette du pain de ménage

Les ingrédients

60 ml ($^{1}/_{4}$ t) d'eau tiède : l'eau dissout la levure. Elle ne doit être ni bouillante, ni glacée, mais tiède, soit à une température de 38°C.

la goutte de miel fournit un aliment à la levure

2 c. à soupe de levure active sèche : la levure active sèche est constituée de bactéries vivantes en état de latence. L'eau tiède et le miel « réveillent » les bactéries, qui se mettent à se multiplier. Ne pas employer de levure de bière pour cette opération : elle ne peut pas faire lever la pâte.

480 ml (2 t) d'eau tiède : même remarque que plus haut. Cette eau sert à la formation de la pâte.

60 ml ($^{1}/_{4}$ t) d'huile : elle donne de la saveur au pain et attendrit la mie. Utiliser une huile végétale non hydrogénée. L'huile de maïs naturelle donne un très bon goût au pain.

60 ml ($^{1}/_{4}$ t) de miel : le miel nourrit la levure et donne de la saveur.

2 c. à thé de sel : le sel favorise le levage de la pâte.

de 1340 à 1680 ml de farine de blé entier à pain, soit environ 920 g de farine (de 6 à 6$^{1}/_{2}$ t de farine en système impérial). Voir à toujours n'utiliser que de la farine de blé dur. La farine de blé mou étant pauvre en gluten, elle donne un pain qui s'émiette et se tranche mal. La quantité de farine indiquée dans les recettes de pain est toujours approximative parce que le degré d'humidité varie d'un sac de farine à l'autre.

La méthode

Verser l'eau tiède et la goutte de miel dans un petit récipient. Y saupoudrer la levure.

Cette opération a pour but d'activer la levure. Au bout de 10 minutes, celle-ci aura commencé à gonfler.

Dans un grand récipient, mélanger l'eau tiède, l'huile, le miel, le sel et la solution de levure.

Verser 480 ml (2 t) de farine au mélange liquide et battre 100 fois à la cuillère de bois.

Cette opération active le gluten de la farine et permet l'admission de l'air dans le mélange, ce qui donne au pain sa légèreté.

En continuant de travailler à la cuillère de bois, incorporer graduellement la farine qui reste, jusqu'à l'obtention d'une pâte pétrissable.

Ajouter la farine en petites quantités à la fois. La pâte épaissira, deviendra progressivement très ferme et de plus en plus difficile à remuer. La pâte est prête à être pétrie lorsqu'elle se détache des parois du bol.

Pétrir la pâte pendant 10 minutes, c'est-à-dire jusqu'à ce qu'elle soit lisse, élastique et ne colle plus.

Pétrir n'est pas aussi difficile qu'on peut le croire. La raison de cette opération n'a rien de mystérieux : on pétrit pour permettre à la farine de bien s'unir à l'eau et à la levure et pour incorporer toute la farine nécessaire, ce qu'il serait de toute évidence impossible de faire si l'on ne travaillait la pâte qu'à la cuillère.

Tout d'abord, saupoudrer généreusement de farine la surface de pétrissage et vos mains, puis renverser la pâte sur cette surface unie. Gratter les parois du bol afin de ne rien perdre de cette précieuse préparation. Au travail maintenant ! Pétrir est un mouvement naturel qui se maîtrise très rapidement : laisser ses mains agir. D'instinct on trouve le rythme et la force qui conviennent. Le pétrissage est la répétition de trois mouvements : étirer, pousser, tourner. Étirer légèrement la pâte vers l'extérieur avec les paumes de la main, puis la plier en la ramenant vers soi et la tourner un quart de tour, et recommencer. Tous ces mouvements doivent être ac-

complis avec énergie et rythme, et il faut admettre que cela peut demander, au début, une certaine vigueur dans les poignets et les bras. Ne pas y aller mollement : profiter de l'occasion pour libérer ses pulsions agressives ! Après environ 10 minutes de pétrissage, la pâte commence à être lisse et élastique. Elle est à point quand on peut l'étirer délicatement sans qu'elle déchire. Il est pratiquement impossible de trop pétrir une pâte à la main.

Mettre la pâte dans un bol bien huilé et laisser lever dans un endroit tiède jusqu'à ce que le volume de la pâte ait doublé.
Badigeonner d'huile le fond et les parois intérieures du bol dans lequel on a mélangé la pâte. (Il n'est pas nécessaire de le laver si l'on en a raclé les parois avant le pétrissage.)
Placer la pâte dans le bol et la retourner afin qu'elle soit uniformément recouverte d'une pellicule d'huile, ce qui l'empêche de sécher et de coller. Couvrir le récipient d'un linge humide. La température de la pièce où la pâte est mise à lever déterminera la durée et la réussite de l'opération de levage. Si vous laissez la pâte dans un endroit trop chaud (par exemple, dans un four qui chauffe, sur les plaques d'un poêle à bois ou sur un appareil de chauffage), la chaleur risque de détruire la levure et le pain ne gonflera pas. Placée au contraire dans un endroit froid, comme le réfrigérateur, la pâte prendra de 8 à 10 heures à lever convenablement. La durée normale de levage, dans un endroit tiède qui n'est pas exposé aux courants d'air, est d'environ une heure et demie. Pendant les jours d'été ensoleillés, on peut exposer la pâte aux rayons du soleil, à l'extérieur même à condition toutefois qu'il n'y ait pas la moindre brise.
Le froid ayant pour effet de ralentir le levage de la pâte, il se peut que vous ayez plus de difficultés à faire lever la pâte pendant les journées d'hiver. Voici comment pallier cet inconvénient. Faire chauffer le four pendant une minute. Éteindre. Y placer la pâte et fermer la porte du four. On peut également placer un bol d'eau très chaude dans le four : cela réchauffe l'air et empêche la pâte de sécher. Ne jamais rallumer le four pendant que la pâte y

est : la levure serait détruite. Avec cette méthode, la pâte sera prête en une heure environ.

Rabattre la pâte.
Enfoncer le poing dans la pâte, afin de la faire dégonfler.

Pétrir quelques instants.
Ce second pétrissage permet à l'air de s'échapper. Ne pas incorporer d'autre farine.

Façonner en miches.
Couper la pâte en deux. Le côté de la pâte non coupée, qui a une forme arrondie et lisse, constituera le dessus de votre pain. À l'aide des deux mains, repousser le côté coupé vers l'intérieur du morceau, et travailler ainsi jusqu'à ce que la pâte ait été arrondie en une forme lisse. (On peut cuire cette miche ronde sur une tôle à biscuits huilée ou la presser délicatement dans un moule à pain, ce qui étirera quelque peu sa forme.)

Laisser la pâte lever jusqu'à ce que son volume ait doublé.
Les mêmes conditions ambiantes doivent exister pour ce second levage : endroit tiède à l'abri des courants d'air. La durée de cette opération est moindre : 1 heure dans un endroit tiède, 45 minutes dans le four.

Cuire au four pendant 45 minutes.
Quand vous aurez fait votre pain quelques fois, vous serez en mesure de déterminer le moment précis où il est cuit, seulement à l'odeur qui s'en dégage. En attendant ce moment, il faut avoir l'œil sur la montre. Mieux vaut un pain trop cuit qu'un pain pas assez cuit, car la mie de celui-ci est collante. Pour vérifier la cuisson, tapoter du doigt la croûte supérieure de la miche : si elle rend un son creux, sec, le pain est prêt. Il ne vous reste plus qu'à démouler votre petite merveille et à la laisser refroidir sur une grille.

Pain d'avoine

360	ml de flocons d'avoine	(donne 2 miches)
480	ml d'eau bouillante	
240	ml d'eau tiède	
1	goutte de miel	
2	c à soupe de levure active sèche	
60	ml d'huile	
120	ml de miel	
2	c à thé de sel	
	environ 1.5 l de farine (6 1/2 t) de blé entier à pain	

Verser l'eau bouillante sur l'avoine et laisser reposer pendant 15 minutes.

Dissoudre la goutte de miel dans l'eau tiède, y saupoudrer la levure et laisser agir pendant 10 minutes.

Mélanger l'huile avec le miel, le sel et la levure, puis incorporer l'avoine. Ajouter 480 ml de farine au mélange et battre à la cuillère de bois (compter 100 coups).

Toujours en travaillant à la cuillère de bois, incorporer le plus de farine possible. Lorsque la pâte est devenue épaisse et qu'elle se détache des parois du bol, saupoudrer le reste de la farine sur une surface unie, y renverser la pâte et pétrir de 5 à 10 minutes.

Disposer la pâte dans un récipient badigeonné d'huile en la retournant pour qu'elle soit entièrement recouverte d'huile. Placer dans un endroit tiède à l'abri des courants d'air et laisser la pâte lever jusqu'à ce qu'elle atteigne le double de son volume.

Faire dégonfler la pâte en y enfonçant le poing. Façonner en deux miches et les disposer dans les moules à pain badigeonnés d'huile. Laisser à nouveau la pâte lever, assez longtemps pour que les miches doublent leur volume.

Cuire au four à 180°C pendant 45 minutes. Démouler avec précaution et laisser refroidir sur un support à pain.

Pain de chantier

(très riche en protéines)

(donne 2 miches)

60 ml d'eau tiède
2 c à soupe de levure active sèche
1 goutte de miel

480 ml d'eau tiède
80 ml d'huile
60 ml de miel
2 c à thé de sel

de 1200 à 1320 ml (de 5 à 5½ t) de farine de blé entier dur
240 ml de farine de soya
120 ml de lait en poudre
60 ml de germe de blé cru

Dissoudre la levure dans l'eau tiède additionnée de la goutte de miel.

Dans un grand bol, mélanger l'eau tiède, l'huile, le miel et le sel. Ajouter la levure.

Mélanger 240 ml de farine de blé avec la farine de soya, le lait en poudre et le germe de blé. Incorporer aux ingrédients liquides et battre 100 fois à la cuillère de bois.

En travaillant toujours à la cuillère de bois, incorporer au mélange le plus de farine possible. Renverser ensuite la pâte sur une surface généreusement recouverte de farine, et pétrir vigoureusement pendant 10 minutes.

Mettre la pâte dans un bol badigeonné d'huile et laisser lever jusqu'à ce que le volume de la pâte ait doublé.

Faire dégonfler la pâte en y enfonçant le poing. Pétrir à nouveau quelques instants. Façonner en deux miches et les placer dans des moules à pain badigeonnés d'huile. Laisser lever une seconde fois, de sorte que les miches atteignent le double de leur volume.

Cuire au four à 180°C pendant 45 minutes.

Pain aux raisins

240 ml d'eau tiède
3 c à soupe d'huile
60 ml de miel
1 c à soupe de levure active sèche
240 ml de farine de blé entier dur

160 ml de raisins secs
600 ml de farine de blé entier dur

Bien mélanger l'eau, l'huile, le miel, la levure et les 240 ml de farine. Laisser reposer dans un endroit à température modérée pendant 10 minutes. Remuer encore. Laisser reposer une seconde fois pendant 15 minutes.

Ajouter les raisins. Incorporer graduellement la farine jusqu'à l'obtention d'une pâte pétrissable. (Voir « L'abc de la boulangerie » p. 56.)

Pétrir la pâte pendant trois minutes.

Façonner la pâte selon la forme désirée.

Placer dans un moule à pain bien huilé et laisser la pâte lever jusqu'à ce que son volume ait doublé.

Cuire au four à 180°C pendant 45 minutes.

Pain au cheddar

(donne 1 miche)

180 ml de lait

1 c à soupe de levure active sèche
2 c à soupe d'eau tiède
1 c à soupe de miel

60 ml d'huile
3 œufs
1 c à thé de sel

660 ml de farine de blé entier dur
60 ml de graines de sésame légèrement rôties
480 ml de fromage cheddar fort finement râpé

Faire frémir le lait. Laisser refroidir. Pendant ce temps, dissoudre la levure dans l'eau additionnée de miel.

Mélanger au lait refroidi le mélange de levure, l'huile, les œufs et le sel.

Ajouter les graines de sésame et le cheddar à 360 ml de farine et bien mélanger. Incorporer les ingrédients liquides et battre à la cuillère de bois 3 ou 4 minutes.

Toujours en battant, incorporer le reste de la farine. Vous obtiendrez alors une pâte collante. Placer la pâte dans un endroit tiède et laisser lever jusqu'à ce qu'elle ait doublé de volume. (Cela prend environ 1 heure dans des conditions normales.)

Brasser la pâte avec une cuillère de bois pour la dégonfler. Placer la pâte dans un moule à pain enduit d'huile. Égaliser les formes avec le dos d'une cuillère. Laisser lever encore 15 minutes.

Cuire au four à 180° C pendant 35 minutes.

Note : Facile à faire, c'est le pain idéal pour les randonnées ou le camping : il en est en effet très riche en protéines.

Pain roulé à la cannelle

Suivre la recette de « Pain aux raisins » jusqu'à l'étape du pétrissage.

Après avoir pétri, abaisser la pâte au rouleau en formant un rectangle.

Saupoudrer généreusement de cannelle un côté du rectangle de pâte.

Rouler la pâte dans le sens de la largeur.

Presser l'extrémité de la spirale afin que le pain ait une forme régulière et que l'air ne s'infiltre pas dans les rainures.

Placer le pain dans un moule bien huilé. (Le côté où se termine la spirale de pâte doit être placé au fond du moule.)

Laisser la pâte lever dans un endroit à température modérée jusqu'à ce que son volume ait doublé.

Cuire au four à 180°C pendant 30 minutes.

Petits pains en forme de trèfle

Lorsque vous faites du pain, il est très facile de façonner une partie de la pâte en forme de petits trèfles. Voici comment : après le second levage, couper la pâte en morceaux de la grosseur d'une noisette et les rouler en petites boules. Huiler un moule à muffins et placer trois boules dans chaque cavité. Laisser la pâte lever jusqu'à ce qu'elle ait doublé de volume, ce qui prendra environ 30 minutes. Faire cuire au four à 180°C de 12 à 15 minutes.

Petits pains passe-partout

(1 douzaine)

240 ml de lait

2 c à soupe de levure active sèche
3 c à soupe de miel
2 c à soupe d'huile
1 c à thé de sel
60 ml de germe de blé
480 ml de farine de blé entier à pâtisserie

Faire frémir le lait. Laisser tiédir.

Incorporer tous les ingrédients et battre 100 tours à la cuillère de bois.

Emplir des moules à muffins bien huilés à la moitié de leur hauteur. Laisser la pâte lever jusqu'à ce qu'elle ait doublé de volume.

Cuire au four à 190°C pendant 20 minutes.

Note : Ces petits pains ne sont pas sucrés. On peut les servir avec de la soupe ou des légumes.

Muffins aux canneberges

(donne 12 muffins)

360 ml de farine de blé entier mou
1/2 c à thé de sel
3 c à thé de levure à pâtisserie (« poudre à pâte »)

120 ml de sirop d'érable
2 c à soupe d'huile
2 œufs battus
60 ml de lait
1 c à thé de vanille

240 ml de canneberges
120 ml de pacanes émiettées

Tamiser la farine avec le sel et la levure à pâtisserie.

Mélanger le sirop, l'huile, les œufs, le lait et la vanille.

Incorporer les ingrédients secs aux ingrédients liquides.

Ajouter les canneberges et les pacanes.

Verser la pâte dans des moules à muffins bien huilés.

Cuire au four à 180°C de 13 à 15 minutes.

Muffins au son

(donne 12 muffins)

360 ml de farine de blé entier à pâtisserie
160 ml de son
3 c à thé de levure à pâtisserie (« poudre à pâte »)
1/2 c à thé de sel

2 œufs
60 ml d'huile
180 ml de sirop d'érable
120 ml de lait

240 ml de raisins secs

Mélanger tous les ingrédients secs, sauf les raisins.

Battre les œufs avec l'huile, le sirop et le lait. Incorporer les ingrédients secs en battant, puis ajouter les raisins.

Verser dans des moules à muffins préalablement huilés.

Cuire au four à 180°C pendant 20 minutes.

Petits pains au lait de beurre

480 ml de farine de blé entier à pâtisserie
1 c à thé de sel
2 c à thé de levure à pâtisserie (« poudre à pâte »)
1/4 c à thé de soda

80 ml d'huile
240 ml de lait de beurre

Mélanger la farine, le sel, la levure à pâtisserie et le soda.

Ajouter le lait de beurre et l'huile en remuant à la cuillère de bois.

Déposer la pâte par cuillerée à table sur une plaque à biscuits badigeonnée d'huile. (Espacer les ronds de pâte de 2 pouces environ.) Égaliser le dessus des ronds de pâte à l'aide d'un couteau mouillé d'eau froide.

Cuire au four à 220°C de 15 à 20 minutes.

Note : Ces petits pains rapides, qu'on appelle « biscuits » aux États-Unis bien qu'ils n'aient aucun rapport avec le dessert que nous connaissons, sont une spécialité culinaire du Kentucky. Ils sont à mi-chemin entre les muffins traditionnels et les petits pains de table. Dans les maisons du Kentucky, on mange les « biscuits » chauds avec du beurre, au petit déjeuner, ou recouverts de sauce brune et accompagnés de légumes verts au repas de soir.

Petits pains rapides au cheddar

Même liste d'ingrédients que dans la recette des « Petits pains au lait de beurre » ci-dessus.

Ajouter à la farine 120 g (4 oz) de cheddar fort finement râpé.

Procéder ensuite comme il est indiqué dans la recette de « Petits pains au lait de beurre ».

Pain de maïs Constance

(8 portions)

180 ml d'huile
120 ml de miel
2 œufs
120 ml de lait

240 ml de semoule de maïs
240 ml de farine de blé entier à pâtisserie
3 c à thé de levure à pâtisserie (« poudre à pâte »)
1/2 c à thé de sel
240 ml de cheddar fort finement râpé

Dans un grand bol, battre en crème l'huile et le miel. En battant à la cuillère de bois, ajouter les œufs un à la fois, puis le lait.

Mélanger la semoule et la farine, la levure à pâtisserie, le sel et le fromage.

Incorporer les ingrédients secs aux ingrédients liquides en travaillant à la cuillère de bois. Éviter de trop battre.

Verser la pâte dans une poêle de fonte ou un moule à gâteau carré badigeonnés d'huile. Cuire au four à 180°C de 35 à 40 minutes.

Servir chaud avec du beurre.

Les « Hoe cakes » de ma mère

(petites galettes de maïs salées)

(environ 15 galettes)

240 ml de semoule de maïs
2 c à thé de levure à pâtisserie (« poudre à pâte »)
1/2 c à thé de sel

1 œuf battu
300 ml de lait de beurre

Mêler les ingrédients secs.

Incorporer l'œuf et le lait de beurre. Cesser de remuer dès que la pâte est lisse.

Chauffer à feu vif une poêle bien huilée. Verser l'équivalent d'une cuillerée à soupe dans la poêle et dorer chaque côté de 2 à 3 minutes. (Ne retourner la galette qu'une seule fois.) Vous pouvez cuire 2 ou 3 galettes à la fois dans la poêle.

Note : Une autre spécialité campagnarde du Kentucky. Vous pouvez manger les « hoe cakes » avec de la mélasse ou du sirop d'érable au petit déjeuner, mais au Kentucky on les déguste surtout pendant le repas du soir, comme du pain. On les recouvre alors de haricots cuits garnis d'échalotes. Comme mets d'accompagnement : des légumes verts cuits à la vapeur (épinards, chou collard, feuilles de moutarde) et des tranches de tomate.

Craquelins au sésame

(3 douzaines)

80 ml d'huile
120 ml d'eau
1/2 c à thé de sel

480 ml de farine de blé entier

80 ml de graines de sésame
sel

Mélanger l'huile, l'eau et le sel dans le mélangeur. Incorporer lentement la farine en brassant à la cuillère de bois.

Pétrir pendant 5 minutes. (Si vous ne savez pas comment pétrir une pâte, lisez « L'abc de la boulangerie, p. 58.) Laisser reposer pendant 10 minutes.

Diviser la pâte en deux et abaisser chaque moitié au rouleau sur une plaque à biscuits bien huilée. (La pâte doit avoir une épaisseur uniforme.)

Saler légèrement et saupoudrer de graines de sésame.

Passer le rouleau sur la pâte une seconde fois afin que les graines de sésame pénètrent dans la pâte.

Découper en carrés.

Cuire au four à 180°C de 10 à 15 minutes.

Note : Surveillez attentivement la cuisson. Les craquelins situés sur les côtés de la plaque cuisent généralement plus vite : il faudra les retirer avant qu'ils ne brûlent.

Craquelins de seigle

(donne environ 3 douzaines)

240 ml de yoghourt
120 ml de miel
120 ml d'huile
1 c à thé de seigle

720 ml de farine de seigle

Mélanger le yoghourt, le miel, l'huile et le sel.

En travaillant à la cuillère de bois puis, lorsque la pâte est devenue trop épaisse, en la pétrissant avec les mains, incorporer peu à peu la farine au mélange liquide.

Diviser la pâte en trois.

À l'aide d'un rouleau à pâtisserie, abaisser chaque boule de pâte le plus finement possible.

Façonner les biscuits en utilisant le contour d'un verre ou un moule à biscuits. (Toujours mouiller ces ustensiles d'eau froide.)

Cuire au four à 180°C environ 10 minutes, ou jusqu'à ce que les craquelins soient dorés.

Tortillas

(12 tortillas)

240 ml de semoule de maïs
1/2 c à thé de sel
120 ml d'eau bouillante
de 120 à 180 ml de farine de blé entier

Mélanger la semoule et le sel et y verser l'eau bouillante. Couvrir et laisser reposer pendant 10 minutes.

Incorporer au mélange suffisamment de farine pour que la pâte soit pétrissable. Pétrir de 5 à 10 minutes. (Ne pas s'inquiéter si la pâte ne tient pas au début : le pétrissage lui donnera de la consistance.)

Diviser la pâte en douze morceaux égaux, et rouler chacun d'eux entre les doigts. Aplatir ensuite chaque morceau et l'abaisser au rouleau sur une planche à pâtisserie, le plus finement possible sans toutefois que la pâte fendille ou se déchire.

Cuire chaque côté de la tortilla dans une poêle non huilée, pendant 2 ou 3 minutes, à feu plutôt vif.

Note : Pour ramollir les tortillas et les garder chaudes avant de les servir, on les place dans une marmite directement au-dessus de la casserole où cuit la garniture de haricots, et on les laisse ainsi exposés à la vapeur. Les tortillas abaissées au rouleau ou la pâte se conservent bien au réfrigérateur pendant une semaine tout au plus. Il suffit de bien les enrober dans le papier et elles seront prêtes à être cuites quand vous le désirez.

Zwieback

(ou comment conserver vos restes de pain)

Trancher finement du pain de grain entier. Placer les tranches directement sur les grilles du four et cuire à 95°C de 15 à 20 minutes, en les retournant une fois.

Éteindre le feu et laisser le pain refroidir. Tout doit être très sec et les tranches doivent avoir une belle couleur dorée.

Note : Le « zwieback » n'est en définitive que du pain sec, cuit au four une seconde fois, ce qui le rend plus digestible. C'est une excellente façon de conserver le pain quand vous en avez cuit plus que nécessaire. Le « zwieback » se conserve bien dans des sacs en papier ; s'il devient rassis, on le chauffe à nouveau. Il accompagne bien les soupes, panades, salades et plats en croûte ; on peut aussi en faire des canapés.

Levure à pâtisserie maison

(« poudre à pâte »)

2 parties d'arrow-root
1 partie de crème de tartre
1 partie de bicarbonate de potassium

Tamiser les ingrédients ensemble trois fois.

Utiliser dans les mêmes proportions que la levure à pâtisserie commerciale.

Note : On peut se procurer du bicarbonate de potassium et de la crème de tartre dans les pharmacies.

Soupes

Vous vous demandez peut-être comment on peut, sans viande et sans os, préparer une soupe savoureuse. Rien de plus simple. Tout le secret d'un bon potage réside dans le bouillon. Gardez au réfrigérateur, dans un bocal de verre bien fermé, l'eau dans laquelle vous faites cuire vos légumes : ce liquide rempli de vitamines servira de base à toutes vos soupes. Vous pouvez aussi utiliser les cubes de bouillon de légumes qui sont en vente dans les magasins d'alimentation naturelle. Un autre élément important est l'assaisonnement. Aromatisez vos bouillons : mettez-y de l'ail, des échalotes, de la ciboulette ou du céleri. Saupoudrez-les de fines herbes : le basilic, le cerfeuil, l'estragon, le laurier, la marjolaine, l'origan, le persil, le romarin, la sarriette, la sauge et le thym rehaussent les bouillons les plus fades. Quelques cuillerées à soupe de tamari ou de miso (voir lexique), ajoutées à la fin de la cuisson, donneront une saveur inusitée à votre potage.

Les quelques recettes de base livrées dans ce chapitre peuvent aisément être modifiées au gré de la fantaisie de chacun.

Dans ce domaine, il n'y a pas de règle absolue : laissez libre cours à votre imagination. Tout légume peut entrer dans la composition d'un potage. (Retenez cependant que les betteraves et le chou rouge donneront au liquide une couleur rouge violacé plutôt fantaisiste.) Les céréales qui se prêtent le mieux à la préparation d'un potage sont le riz et l'orge.

Vous pouvez servir le potage tel qu'il a été cuit, les légumes étant coupés en dés ou en petits morceaux. Pour obtenir un potage crémeux, ajoutez du lait au bouillon après la cuisson des légumes, versez dans le mélangeur et laissez battre jusqu'à l'obtention d'une crème onctueuse. Garnies de persil ou de ciboulette fraîche et de croûtons de pain, ces crèmes ont une saveur douce et naturelle qui vous fera oublier à tout jamais les soupes en boîte, fussent-elles « à la mode d'autrefois »... Enfin, ne réservez pas le gratin au fromage à la traditionnelle soupe à l'oignon : toutes les soupes aux légumes s'en accommodent bien. C'est un plat très nourrissant, aussi servez-le avec quelque chose de léger, une salade verte et un légume, par exemple.

Crème de céleri

(4 portions)

1 oignon haché
240 ml (1 t) de pommes de terre coupées en cubes
480 ml (2 t) de céleri haché
3 c à soupe d'huile

720 ml (3 t) d'eau ou de bouillon de légumes
1 c à thé de thym
1 c à thé de sel
une pincée de graines d'aneth
1 petite feuille de laurier

240 ml (1 t) de lait
persil

Faire fondre les légumes dans l'huile environ 10 minutes.

Verser le bouillon assaisonné des épices, amener à vive ébullition, puis cuire à feu doux environ 30 minutes, jusqu'à ce que le céleri soit bien tendre.

Retirer du feu, verser le lait et passer au mélangeur jusqu'à ce que le mélange devienne onctueux.

Garnir de persil et servir avec des croûtons de pain.

Crème de poireaux

(6 portions)

6 poireaux de taille moyenne
4 pommes de terre de taille moyenne
3 c à soupe d'huile

3 c à soupe de farine de blé entier

sel
poivre
estragon
sarriette

environ 1.5 l ($6\frac{1}{2}$ t) d'eau ou de bouillon de légumes

360 ml ($1\frac{1}{2}$ t) de lait

persil

Laver les poireaux et enlever les feuilles trop vertes. Les couper en gros morceaux. Bien laver et brosser les pommes de terre et les couper en quartiers. Faire rissoler les légumes dans l'huile environ 10 minutes.

Ajouter la farine et remuer pour qu'elle se fonde avec les légumes. Saler, poivrer et assaisonner.

Verser l'eau ou le bouillon, couvrir, amener à vive ébullition, puis cuire à feu doux de 30 à 40 minutes.

Quand les légumes sont bien tendres, retirer la marmite, verser le lait et passer le tout au mélangeur jusqu'à l'obtention d'une crème onctueuse.

Potage Chili

(6 portions)

240 ml de haricots Pinto ou de haricots rouges
environ 1.5 l d'eau ou de bouillon de légumes

240 ml de grains de blé mou

1 oignon haché
1 poivron vert
240 ml de tomates en boîte
1 boîte de 156 ml de purée de tomates
2 gousses d'ail émincées
1 c à thé de basilic
1 petite pincée d'origan
1 pincée de cumin
1 c à thé de sel
1 pincée de Cayenne

Rincer et trier les haricots. Les placer dans une grande marmite et y verser l'eau. Porter à ébullition. Couvrir et laisser reposer hors du feu pendant 1 heure.

Ajouter le blé et laisser mijoter une autre heure.

Ajouter tous les autres ingrédients et cuire jusqu'à ce que l'oignon et le poivron soient tendres.

Potage aux haricots

(6 portions)

240 ml de haricots Great Northern, Pinto, à œil jaune ou de petits haricots blancs (« Navy beans »)
environ 1.5 l (6 t) d'eau ou de bouillon de légumes
600 ml de jus de tomate
1 gros oignon haché
1 branche de céleri hachée
2 c à soupe d'huile d'olive
1 c à thé de basilic
2 ou 3 gousses d'ail pressées
1 c à thé de sel

Rincer et trier les haricots. Les jeter dans une grande marmite et y verser le liquide. Couvrir. Porter à ébullition. Quand le liquide bout à gros bouillons, retirer la marmite du feu et laisser reposer pendant 1 heure.

Porter de nouveau à ébullition, puis laisser mijoter à feu doux. Au bout d'une heure, verser le jus de tomate, ajouter l'oignon et le céleri, l'huile d'olive et l'ail. Assaisonner et saler. Laisser encore mijoter jusqu'à ce que les légumes soient tendres.

Note: Servi avec une salade fraîche et du pain fait à la maison, le potage aux haricots apporte tous les éléments d'un bon repas complet.

Potage Lima

(6 portions)

240 ml de petits haricots de Lima
un peu moins de 2 l d'eau ou de bouillon de légumes

1 poireau haché
1 carotte hachée
1 branche de céleri hachée
2 c à thé d'extrait de légumes ou 2 cubes de concentré de légumes
2 c à soupe de beurre
1/2 c à thé de sel
1/2 c à thé de marjolaine
1/2 c à thé de thym

1 ou 2 c à soupe de sauce soya

Mettre les haricots et l'eau dans une grande marmite. Couvrir. Porter à ébullition. Retirer du feu et laisser reposer pendant 1 heure.

Porter une seconde fois à ébullition. Réduire à feu doux et laisser mijoter pendant 45 minutes. Ajouter les autres ingrédients (sauf la sauce soya) et cuire jusqu'à ce que les légumes soient tendres.

Assaisonner de sauce soya au moment de servir.

Potage Parmentier

(5 ou 6 portions)

480 ml de pommes de terre coupées en cubes
1 branche de céleri hachée
1 oignon haché
1 carotte tranchée en rondelles
360 ml d'eau ou de bouillon de légumes
120 ml de petits pois frais ou congelés

600 ml de lait
$1^1/_2$ c à thé de sel
une pincée de Cayenne
240 ml de fromage râpé, de préférence un vieux cheddar

Dans une grande marmite, mouiller les légumes avec l'eau ou le bouillon de légumes. Couvrir et porter à ébullition, puis laisser mijoter à feu doux.

Quand les légumes sont presque cuits, ajouter les petits pois et cuire encore 10 minutes.

Verser le lait, saler et assaisonner. Sur feu doux, sans laisser bouillir le potage, ajouter le fromage et remuer jusqu'à ce qu'il ait fondu.

Note : Rappelez-vous que pour conserver aux pommes de terre toutes leurs vitamines, il faut les brosser vigoureusement sous le robinet et non les peler.

Potage paysanne

(5 ou 6 portions)

1 boîte de 600 g (20 oz) de tomates entières
240 ml de jus de tomate
360 ml d'eau ou de bouillon de légumes
120 ml de haricots verts frais coupés en deux
1 oignon haché

les grains d'un épi de maïs
1 panais tranché en rondelles fines
1 carotte tranchée en rondelles fines
une grosse pincée de sel
1 c à thé de basilic
1 gousse d'ail émincée
2 c à soupe de beurre ou d'huile

Jeter tous les légumes dans une marmite. Assaisonner. Verser le bouillon et l'huile. Couvrir. Porter à ébullition, puis laisser mijoter à feu doux environ 35 minutes.

Soupe aux lentilles

(4 portions)

120 ml de lentilles sèches
1080 ml d'eau ou de bouillon de légumes
1 oignon haché
1 branche de céleri hachée
la moitié d'un poivron vert haché
1 carotte tranchée en rondelles
2 ou 3 gousses d'ail, suivant le goût
1 feuille de laurier
2 c à soupe d'huile d'olive
3 c à soupe de tamari

Rincer et trier les lentilles. Les jeter dans une marmite remplie d'eau ou de bouillon. Couvrir et porter à ébullition.

Pendant que les lentilles mijotent à feu doux, trancher les légumes.

Ajouter les légumes, et laisser mijoter de 30 à 40 minutes.

Verser l'huile d'olive et le tamari, assaisonner avec l'ail et le laurier et laisser mijoter encore de 15 à 20 minutes.

Servir avec une salade et du pain fait à la maison.

Soupe à l'oignon gratinée

(4 portions)

6 oignons de bonne taille
3 c à soupe d'huile
2 c à soupe de moutarde sèche

1200 ml d'eau ou de bouillon de légumes

1 1/2 c à thé de thym
sel, poivre, muscade
3 c à soupe de tamari
4 tranches de pain de blé entier

environ 400 ml de fromage râpé (gruyère ou emmenthal)

Émincer les oignons et les faire blondir dans l'huile avec la moutarde sèche.

Verser l'eau ou le bouillon de légumes sur les oignons et amener à ébullition. Laisser mijoter environ 15 minutes après avoir salé, poivré et assaisonné de thym et de muscade.

À la fin de la cuisson, verser le tamari.

Pendant la cuisson, faire griller les tranches de pain au four ou dans le grille-pain et râper le fromage.

Verser la soupe dans des petits bols à gratin. Garnir des tranches de pain et saupoudrer généreusement de fromage.

Gratiner au four doucement.

Soupe à l'orge et aux pois cassés

(de 6 à 8 portions)

120 ml de pois cassés secs
60 ml d'orge
2 l d'eau

1 gros oignon haché
1 carotte tranchée
1 branche de céleri hachée
1 c à thé de basilic
sel
2 c à soupe de beurre

60 ml de persil frais haché

Mettre les pois et l'orge dans une grande marmite. Couvrir d'eau ou de bouillon. Porter à ébullition, couvrir et laisser mijoter à feu doux jusqu'à ce que les pois soient tendres (environ 1 heure)

Ajouter les autres ingrédients (sauf le persil), et laisser mijoter jusqu'à ce que tous les légumes soient tendres.

Garnir de persil au moment de servir.

Velouté aux carottes

(6 portions)

480 ml de carottes tranchées en rondelles
1 gros oignon haché
1 branche de céleri hachée
la moitié d'un poivron vert haché

960 ml de lait

2 c à soupe de margarine
1 c à thé de sel
1 c à thé de basilic
2 c à soupe de miel

persil ou ciboulette hachée

Faire cuire les carottes à la vapeur. (Voir chapitre sur les légumes, p. 93.)

Faire rissoler l'oignon, le céleri et le poivron jusqu'à ce qu'ils soient tendres.

Égoutter les carottes (conserver l'eau de cuisson pour d'autres soupes) et verser dans le mélangeur avec 2 tasses de lait.

Lorsque les carottes et le lait forment un mélange onctueux, verser celui-ci dans une marmite, y ajouter le reste du lait, les légumes et les assaisonnements. Chauffer à feu doux mais ne pas porter à ébullition.

Garnir de persil ou de ciboulette au moment de servir.

Note : S'il vous reste environ 1/2 tasse de riz cuit, vous pouvez fort bien l'ajouter à la préparation pendant les dernières minutes de cuisson.

Velouté aux champignons

(4 portions)

3 c à soupe de beurre ou de margarine
1 oignon tranché
2 branches de céleri hachées
480 ml de champignons tranchés

1/2 c à thé de marjolaine
3 c à soupe de farine de blé entier

de 720 à 960 ml de lait
1 c à thé de sel
1 pincée de Cayenne

Faire fondre le beurre dans la casserole. Faire rissoler l'oignon et le céleri pendant 5 minutes.

Ajouter les champignons et les faire revenir dans le beurre quelques minutes.

Aromatiser de marjolaine. Saupoudrer de farine. Remuer à la cuillère de bois.

Verser peu à peu le lait en brassant constamment. Saler et poivrer.

Légumes

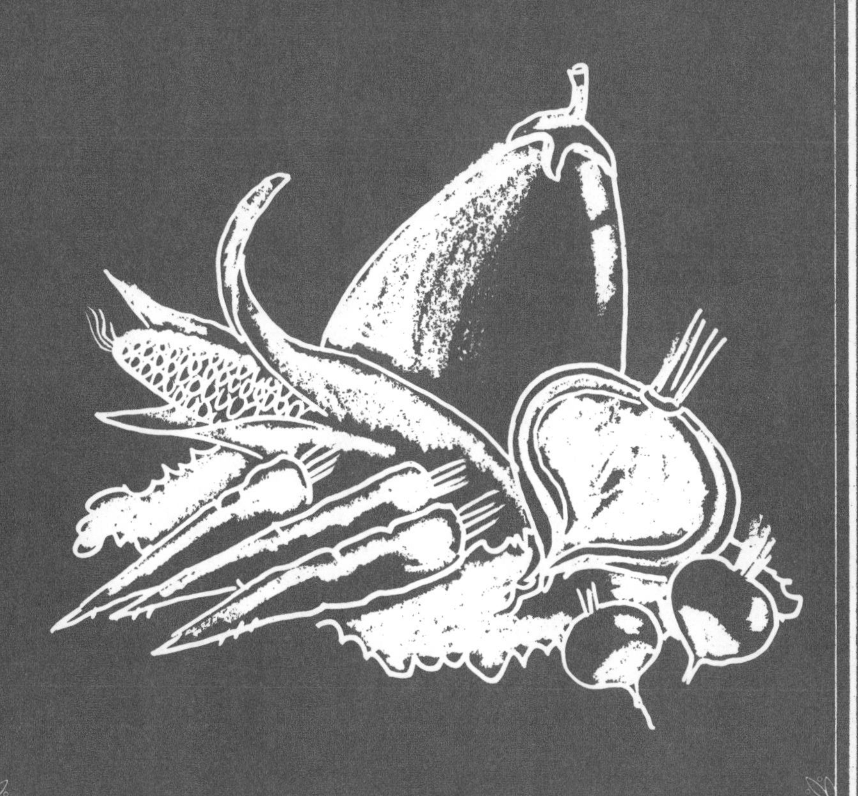

Les légumes jouent un rôle capital dans l'alimentation. De façon générale, ils contiennent peu de calories mais sont riches en eau, en vitamines et en sels minéraux. De plus, ils favorisent grandement la digestion et facilitent l'évacuation des déchets.

Rien ne peut surpasser le goût des légumes qu'on récolte dans son potager. Même si vous ne disposez que d'un espace réduit (plates-bandes, balcons), l'expérience en vaut la peine. La culture potagère ouvre les portes de la connaissance de la nature et nous révèle les secrets de la vie végétale : c'est une expérience merveilleuse pour quiconque souhaite renouer les liens qui nous rattachent à la terre, à l'eau, au soleil et à la vie. Comment décrire le goût des légumes frais qu'on vient tout juste de récolter, encore gorgés de soleil ? Vous découvrirez le sens du mot « fraîcheur » le jour où vous croquerez dans votre première carotte de jardin.

Malheureusement, comme la saison de jardinage est très courte au Québec, nous ne pouvons pas cultiver nos légumes toute l'année, sauf les germes de haricots dont il est question dans les pages suivantes. La plupart des légumes que nous consommons en hiver proviennent de Californie et nous sont livrés dans un état parfois lamentable, en raison du transport et des méthodes artificielles de conservation et de stockage qu'ils ont subis. Cette remarque vaut particulièrement pour les tomates, les laitues, les concombres et tous les légumes dont on consomme les feuilles. Il est donc préférable de consommer en hiver les légumes qui se conservent bien dans des endroits frais et sombres : ce sont les carottes, les panais, les oignons, les navets, les betteraves, les pommes de terre, les citrouilles, les courges d'hiver et les choux. (Au chapitre des plats de résistance, vous trouverez quelques recettes pour apprêter de façon nouvelle et appétissante ces légumes « d'hiver ».) En été et au début de l'automne, profitez de l'abondance exceptionnelle des produits frais qui sont offerts dans les comptoirs de fruits et légumes et confectionnez de délicieuses salades-repas arrosées de vinaigrette-maison.

On n'insistera jamais assez sur l'importance de bien laver les légumes, particulièrement ceux qui ne viennent pas de votre potager. Même s'ils ont l'air propres, il est fort probable qu'ils soient recouverts d'une pellicule d'insecticide et de fertilisant. Les vitamines contenues dans un légume ou un fruit se logent principalement à la surface de celui-ci : aussi faut-il éviter dans la mesure du possible de peler les légumes. De tous les aliments, les légumes-racines (pommes de terre, carottes, panais) contiennent la plus basse concentration d'insecticides. Pour les nettoyer, il suffit de les frotter avec une brosse à poil dur, sous l'eau du robinet. Toutefois, on devra peler les légumes enrobés de cire, comme le sont parfois les concombres et les navets.

Méthodes de cuisson

Toute cuisson entraîne à un degré plus ou moins élevé la perte de vitamines. Si vous noyez vos légumes dans l'eau, les faites bouillir pendant une demi-heure pour ensuite jeter l'eau de cuisson dans l'évier, où se retrouvent les vitamines, croyez-vous ? Dans le tuyau d'évacuation de l'évier et non dans votre assiette... Donc, toujours cuire les légumes dans le moins d'eau possible, et conserver cette eau de cuisson pour vos soupes et vos sauces. (L'eau de cuisson des légumes se conserve très bien au réfrigérateur, dans un bocal de verre bien fermé.) La meilleure méthode demeure la cuisson à la

vapeur. Puis vient la cuisson dans l'autocuiseur, et la cuisson dans l'eau bouillante.

La cuisson à la vapeur ou à l'étuvée : Mettre les légumes dans une passoire ou dans une marmite à vapeur. Placer la passoire dans une grande marmite remplie d'eau au quart. Couvrir. Porter à ébullition, puis réduire le feu et cuire jusqu'à ce que les légumes soient tendres ou cuits « al dente » (légèrement croustillants), selon le goût. Vérifier de temps à autre s'il ne manque pas d'eau dans la marmite.

Mode de cuisson des artichauts

(compter un gros artichaut pour deux personnes)

Rincer l'artichaut à l'eau courante et le couper en deux dans le sens de la longueur.

À l'aide d'un petit couteau bien effilé, retirer la partie blanche filamenteuse située au centre du légume.

Remplir une casserole d'un ou deux pouces d'eau. Y placer les artichauts, le côté coupé étant vers le haut. Couvrir le plus hermétiquement possible..

Amener à ébullition, puis réduire à feu doux et laisser mijoter de 45 à 60 minutes. Le légume cuira à la vapeur.

Vérifier si l'artichaut est cuit en goûtant une des « feuilles » disposées en écailles.

Comment le servir

Placer l'artichaut dans l'assiette, sur la face coupée du légume.

Les parties comestibles de l'artichaut sont les « feuilles », le cœur, et si le légume est bien cuit, la tige.

Tremper chaque « feuille » dans la sauce, puis ronger la partie tendre à l'extrémité interne de chaque morceau.

Garder le cœur pour la fin : c'est la meilleure partie !

Servir avec la « Sauce citronnée » (voir recette p. 191.)

Mode de cuisson des haricots mange-tout

Les haricots mange-tout sont ces cosses sucrées d'un vert très tendre que vous avez peut-être déjà dégustées dans un restaurant chinois. Ils poussent si facilement ici au Québec que quiconque possède un petit coin de potager devrait en cultiver. À défaut, on peut toujours s'en procurer dans le quartier chinois.

Mode de cuisson

Cuire à la vapeur et servir nature assaisonnés de sel de mer.

À la chinoise : faire revenir vivement les mange-tout dans un peu d'huile pendant quelques minutes. Assaisonner suivant le goût.

Mode de cuisson des patates douces

Les patates douces s'apprêtent de la même façon que les pommes de terre au four :

Les brosser à l'eau courante afin d'enlever toute saleté, et les cuire au four à 180°C environ 45 minutes.

On peut les consommer avec du beurre et du sel, comme légume d'accompagnement, ou avec du fromage râpé. Ne pas oublier que c'est dans la pelure que se logent la plupart des vitamines.

Beignets de maïs

(de 4 à 6 portions)

240 ml de farine de blé entier mou
1 c à thé de sel
2 c à thé de levure à pâtisserie (« poudre à pâte »)

1 œuf
60 ml de lait

80 ml de raisins secs
320 ml de grains de maïs frais

huile non raffinée pour grande friture

Tamiser la farine avec le sel et la levure à pâtisserie.

Dans un autre récipient, mélanger l'œuf et le lait. Y verser les ingrédients secs, puis le maïs et les raisins.

Déposer dans l'huile chaude des quantités de pâte de la grosseur d'une cuillerée à thé. Frire jusqu'à ce que les deux côtés des beignets soient dorés.

Note : Servir ces beignets comme mets d'accompagnement d'un plat de légumes ou à la place du pain avec une soupe. On peut aussi les arroser de sirop d'érable et les manger au petit déjeuner ou comme dessert.

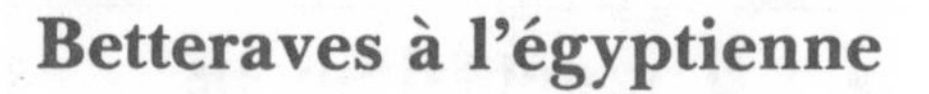

Betteraves à l'égyptienne

1 betterave par personne
huile d'olive

Brosser et laver la pelure des betteraves.

Placer dans un plat badigeonné d'huile. Couvrir et cuire au four à 180°C environ 1 heure.

Servir comme des pommes de terre, avec du beurre et du sel ou, mieux encore, enrobées d'huile d'olive.

Note : Cette recette simple, puisée dans la cuisine traditionnelle d'Égypte, donne une saveur très douce aux betteraves, légume mal connu que nous ne consommons souvent que sous forme de marinade.

Betteraves à l'orange

(de 4 à 6 portions)

de 720 à 960 ml de betteraves cuites et tranchées

le jus d'une grosse orange
le jus d'un demi-citron
1 1/2 c à thé de miel
une grosse pincée de sel
1 1/2 c à thé d'arrow-root
1 c à soupe de zeste d'orange râpé (la partie blanche sous l'écorce)

120 ml de l'eau de cuisson des betteraves

Mélanger le jus d'orange, le jus de citron, le miel, le sel, la poudre d'arrow-root et le zeste d'orange.

Réchauffer le jus de betteraves. Ajouter le mélange de jus d'orange et laisser mijoter jusqu'à ce que la sauce épaississe, en brassant constamment.

Couvrir les betteraves de cette sauce. Servir.

Brocoli tournesol

(pour 4 personnes)

450 g de brocoli
160 ml de graines de tournesol
2 c à soupe de beurre
1/2 c à thé de sel
2 c à thé de jus de citron

Laver le brocoli. Enlever les parties défraîchies et peler la tige si nécessaire. Cuire à la vapeur.

Faire fondre le beurre. Y jeter les graines de tournesol et brasser à feu doux jusqu'à ce que les graines commencent à rôtir. (Les graines brûlent facilement : attention !)

Retirer du feu. Saler et aciduler avec le jus de citron. Verser les graines de tournesol sur le brocoli.

Céleri aigre-doux

(4 portions)

6 branches de céleri
1 oignon de taille moyenne tranché en rondelles
240 ml de sauce Calcutta (aigre-douce) (voir recette p. 187)

Rincer le céleri et le tailler en doigts de 75 cm de long et 1,5 cm d'épais.

Cuire le céleri et l'oignon à la vapeur jusqu'à ce qu'ils soient tendres mais encore croustillants.

Verser la sauce sur les légumes et laisser mijoter à couvert environ 5 minutes.

Choux de Bruxelles à la sauce tomate

(4 portions)

283 g (10 oz) de choux de Bruxelles

2 c à soupe d'huile
1 oignon haché
1 petit poivron vert haché
1 branche de céleri hachée
1 ou 2 gousses d'ail émincées
1/2 c à thé de sel
1 c à thé de basilic
360 ml de tomates en boîte avec leur jus

3 c à soupe de purée de tomates

Rincer les choux de Bruxelles. Enlever les feuilles jaunes. Pratiquer une incision en X à la tige de chaque chou.

Faire revenir dans l'huile l'oignon, le poivron, le céleri et l'ail, puis mettre le tout dans une petite casserole. Ajouter les tomates et les choux, saler et assaisonner. Couvrir et cuire à feu moyen pendant environ 20 minutes.

Verser la purée de tomates. Remuer quelques instants pour qu'elle se lie à la sauce.

Note : Pour transformer ce mets d'accompagnement en un repas complet, parsemer généreusement de fromage râpé et servir le tout avec du pain de grain entier ou une céréale cuite (riz, millet, blé boulghour, etc.) et l'indispensable salade.

Chou à l'orientale

(4 portions)

1 petit chou
240 ml de sauce Calcutta (aigre-douce) (voir recette p. 189)

Hacher le chou.

Cuire à la vapeur environ 20 minutes.

Verser la sauce sur le chou, couvrir et chauffer à feu doux environ 5 minutes.

Courge à l'érable

(1 portion)

la moitié d'une courge « Acorn squash »
1 c à thé de beurre
1 c à soupe de sirop d'érable
une pincée de cannelle

Couper la courge en deux. Enlever les pépins et la membrane.

Badigeonner de beurre l'intérieur de la courge et verser le sirop d'érable dans la cavité. Saupoudrer de cannelle.

Cuire au four à 180°C de 45 à 60 minutes, jusqu'à ce que la pulpe soit bien tendre.

Croquettes de panais

(3 portions)

480 ml de panais cru finement râpé

2 œufs
1 c à thé de sel

Râper les panais à l'aide d'une râpe à fromage ou couper en morceaux et passer au mélangeur par petites quantités.

Mélanger le panais avec les œufs et le sel. Façonner les croquettes.

Dans une poêle badigeonnée d'huile, saisir à feu vif les deux faces de la croquette, puis couvrir et cuire à feu doux pendant 15 ou 20 minutes.

Note : Cet entremets salé possède une saveur très délicate. Il se sert avec un plat de résistance au goût plus affirmé.

Les haricots verts de Micheline

(4 portions)

environ 450 g de haricots verts frais

2 c à soupe d'huile
120 ml d'oignons hachés
480 ml de champignons tranchés

sauce

80 ml de bouillon de légumes
1 c à soupe de vinaigre de cidre
1 c à soupe de sauce soya
$^1/_4$ c à thé de sel
$1^1/_2$ c à thé d'arrow-root

Rincer les haricots et les faire cuire à la vapeur jusqu'à ce qu'ils soient tendres.

Pendant ce temps, composer la sauce en mélangeant tous les ingrédients. Mettre de côté.

Faire rissoler les oignons et les champignons. Verser la sauce sur ces légumes et chauffer à feu doux en remuant constamment.

Verser la sauce sur les haricots cuits et égouttés. Mélanger et servir.

Note : Les haricots verts de Micheline accompagnent bien un plat de céréales cuites, particulièrement le blé boulghour ou le millet.

Pommes de terre farcies

Compter 1 pomme de terre par convive. Choisir de grosses pommes de terre bien formées.

Rincer et brosser les pommes de terre. (Ne pas les peler.)

Cuire au four jusqu'à ce que la chair soient bien tendre, soit environ 1 heure. Ne pas les envelopper dans du papier d'aluminium.

Couper chaque pomme de terre en deux dans le sens de la longueur. À l'aide d'une cuillère, évider le légume en prenant soin de ne pas déchirer la peau.

Réduire en purée la pulpe ainsi retirée en y ajoutant du lait, du beurre et du sel, suivant le goût.

Mélanger la purée avec l'une ou l'autre des garnitures suivantes :

1. du persil, des graines d'aneth, de la ciboulette ou du fenouil frais ;
2. des petits pois cuits ;
3. un œuf cuit dur, émietté et assaisonné de persil ;
4. de l'oignon et de l'ail, hachés finement et rissolés ;
5. du fromage râpé ;
6. des carottes en purée.

Remettre la purée dans les peaux et saupoudrer de l'ingrédient de votre choix :

1. des graines de sésame ;
2. du germe de blé ;
3. du fromage râpé ;
4. de la chapelure aromatisée aux fines herbes.

Remettre au four quelques instants afin de dorer la garniture.

Pommes de terre aux fines herbes

(4 portions)

4 pommes de terre de taille moyenne

120 ml de farine de blé entier
1/2 c à thé de thym
1/2 c à thé de marjolaine
1 c à thé de sel
1 c à thé de paprika
1 gousse d'ail pressée
1 feuille de laurier
2 c à soupe d'huile

Badigeonner d'huile un plat peu profond pouvant aller au four. Rincer et brosser les pommes de terre. Les couper en gros morceaux. (Ne pas les peler.)

Mélanger la farine, le thym, la marjolaine, le sel et le paprika.

Enrober les pommes de terre du mélange de fines herbes et les disposer dans le plat. Parsemer d'ail, ajouter la feuille de laurier et asperger de gouttes d'huile. Couvrir et cuire au four à 230°C pendant 35 minutes environ.

Nouvelles pommes de terre au four

(4 portions)

4 pommes de terre de grosseur moyenne
1 oignon
3 c à soupe d'huile
2 ou 3 c à soupe de tamari

Laver les pommes de terre et les brosser. Les couper en gros morceaux. (Ne pas les peler.)

Trancher l'oignon en grosses rondelles séparées.

Mettre le tout dans un plat peu profond. Verser l'huile en filet sur les légumes et remuer pour que les pommes de terre soient bien enrobées d'huile.

Cuire au four à 180°C environ 45 minutes ; remuer de temps à autre pour éviter que les pommes de terre ne collent au plat et pour qu'elles brunissent uniformément.

À la fin de la cuisson, assaisonner de sauce tamari suivant le goût. Il est inutile de saler ce plat car la sauce tamari possède déjà une saveur distinctement salée.

Tomates provençales

Compter 1 tomate par personne (les choisir mûres, de bonne taille et bien formées)
huile d'olive
ail
sel
basilic
origan

Couper les tomates en tranches épaisses. À l'aide d'un pinceau de pâtissier, badigeonner d'huile les deux côtés des tomates.

Parsemer d'ail et assaisonner.

Cuire au four sous le gril jusqu'à ce que les tomates frémissent sous la chaleur. (Attention de ne pas les laisser brûler !)

Note : Délices de l'ail et des fines herbes ! Les tomates ainsi apprêtées ont du piquant, aussi est-il recommandé de les servir avec un plat à la saveur plus discrète.

Le procédé de la germination

(un jardin dans votre cuisine)

Il y a une façon simple et très économique d'avoir chez soi, toute l'année durant, de la verdure d'une fraîcheur exceptionnelle, absolument libre de tout produit chimique et très riche en vitamines B et C, en minéraux et en protéines. Ce miracle de la nature, c'est le procédé de la germination : il consiste à placer des graines ou des haricots dans une atmosphère suffisamment humide pour que leur germe pousse au dehors et devienne une plante comestible minuscule. Ce procédé augmente la valeur nutritive de la graine ou du haricot et transforme l'amidon en sucre, rendant ainsi la plante digestible.

On peut faire germer la plupart des graines et des haricots, mais ceux qui s'y prêtent le mieux sont les graines de luzerne et de soya, les lentilles, les grains de blé et les haricots mungo (c'est avec ces derniers qu'on fait le fameux « chop suey »).

Comment faire pousser les germes

Jeter les graines dans un bocal de verre de type « Mason » contenant 1 litre (environ 1 pinte) et remplacer le couvercle par un morceau d'étamine (communément appelée « coton à fromage ») ou de bas de nylon propre.

Quantité

graines de luzerne :
2 c. à table par litre
autres graines :
120 ml (1/2 t) par litre

Couvrir les graines d'eau et les laisser tremper toute une nuit. Le lendemain, renverser le bocal et laisser l'eau s'égoutter complètement. (Ne pas jeter l'eau de trempage : elle est excellente pour les plantes d'intérieur.) Placer le bocal dans un endroit tiède et sombre, à l'abri des rayons du soleil.

Deux ou trois fois par jour, répéter l'opération de rinçage. (*Ne jamais laisser l'eau dans le bocal* : elle doit s'égoutter entièrement.)

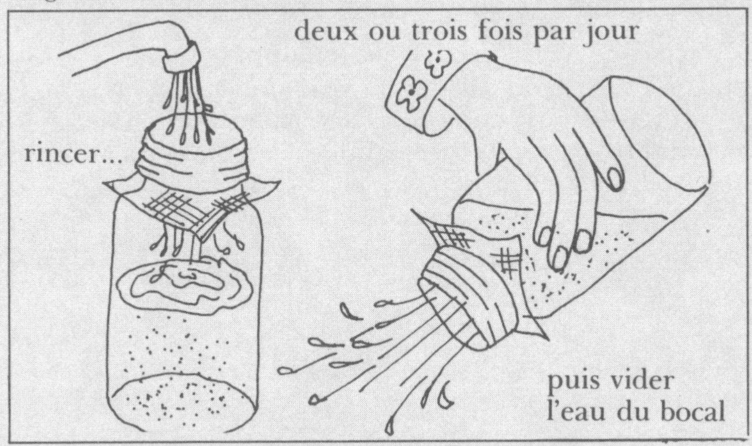

La durée de la germination et la longueur du germe varient selon les graines employées.

graines	durée de la germination	longueur du germe
luzerne	3 ou 4 jours	1 po (2.5 cm)
lentilles	2 ou 3 jours	même longueur que la lentille
fèves de soya	3 jours	$^1/_2$ ou $^3/_4$ po (de 12 à 19 mm)
haricots mungo	2 ou 3 jours	2 ou 3 po (de 5 à 7 cm)
grains de blé	2 jours	même longueur que le grain

Après le dernier rinçage, lorsque les graines ont atteint la dimension désirée, retirer les germes du bocal et les exposer aux rayons du soleil : les petites plantes prendront une jolie teinte verte, résultat de la chlorophylle fabriquée par le germe. On conserve les germes au réfrigérateur et on les consomme rapidement, car ils se détériorent vite. Les multiples rinçages qu'ils subissent font des germes l'aliment le plus propre qui soit.

Les germes de luzerne doivent toujours se manger crus : essayez-les dans vos salades ou vos sandwiches ou comme garniture de vos potages au moment de servir. Les germes provenant d'autres graines se consomment crus ou légèrement cuits.

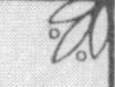

Comment apprêter les germes : quelques suggestions

— germes de luzerne et purée de pois chiches entre deux tranches de pain de blé entier : un sandwich végétarien traditionnel

— germes de luzerne, olives noires et tranches d'œufs arrosés de vinaigrette

— omelette aux germes de blé (voir recette p. 50)

— « chop suey » aux légumes, à partir de haricots mungo

— germes de blé avec du lait et des fruits comme céréale du matin

— dans le « taboulah » (voir recette p. 182) substituer des germes de blé au boulghour

— germes de blé dans une salade de fruits

— faire rissoler des germes de haricots avec des oignons et de l'ail ; assaisonner de sauce soya (cette recette est particulièrement bonne avec des germes de lentilles)

— *comment rissoler des germes* : faire chauffer 2 c à table d'huile dans une poêle ou un wok ; jeter une gousse d'ail écrasée et un soupçon de gingembre si désiré ; frire jusqu'à ce que l'ail brunisse. Ajouter les germes et les faire rissoler pendant 2 minutes. Couvrir, réduire à feu doux, et cuire encore 5 minutes (les germes doivent rester un tantinet croustillants). Servir avec de la sauce soya ou la « Sauce orientale ».

Note : Si vous employez un wok (accessoire de cuisine chinois), vous pouvez faire votre « Sauce orientale » dans celui-ci. Poussez simplement les légumes vers les extrémités du plat et confectionnez la sauce au centre.

— on peut ajouter des germes de blé crus à une pâte à pain, après la première levée, comme on le fait avec les raisins secs

— toutes les variétés de germes sont excellentes en salade car elles sont croustillantes comme du céleri

— faire rissoler des germes dans un peu d'huile et les napper de « sauce Calcutta (aigre-douce) » (voir recette p. 187)

— farcir de germes de haricots crus et d'échalotes hachées une omelette aux fines herbes

— remplacer la traditionnelle laitue de vos sandwiches ou de vos salades par des germes de luzerne croustillants

— garnir les soupes de germes de luzerne crus

— battre dans le mélangeur une poignée de germes crus et les incorporer à une soupe aux légumes cuits

— on peut aussi confectionner des boissons rafraîchissantes avec divers germes. Voir à cet effet la recette de « Boisson énergétique à la luzerne » (p. 248)

Plats de résistance

L'habitude nord-américaine de manger de la viande à tous les repas est si fortement ancrée dans notre culture qu'un régime sans viande apparaît à nombre de gens comme une excentricité dangeureuse. « Comment, pensent-ils, peut-on exclure la viande de son alimentation sans en être réduit à manger inlassablement la même chose ? » Et dans leur esprit surgit le spectre sinistre d'une série interminable de tristes bouillis aux légumes et de riz brun fade...

La vérité est tout autre car, loin d'être monotone, l'alimentation végétarienne est une source de renouvellement constant. La viande n'est pas le seul ni le meilleur aliment avec lequel les humains peuvent se nourrir : la terre nous fournit d'innombrables variétés de céréales, de légumes frais et secs, de noix et de graines qui, avec l'apport précieux des produits laitiers, forment un réservoir infini de créations culinaires. Plus on avance dans la voie du végétarisme, et plus on s'étonne de découvrir la variété d'aliments, jusque-là inconnus, qui nous est offerte. Ainsi, saviez-vous qu'avec de simples flocons d'avoine on peut faire de délicieuses croquettes qui n'ont rien à envier aux hamburgers traditionnels, ou qu'en peu de temps on peut cuire une assiette de blé boulghour qui remplace le riz ou les pommes de terre comme accompagnement ? Au chapitre des légumes secs, on peut se procurer à Montréal pas moins de 24 sortes de légumineuses de saveur et d'aspect différents.

Un autre préjugé tenace laisse croire que le végétarisme est un régime austère et terne, réservé aux moines, aux ascètes et à de pâles excentriques au teint anémique... Erreur ! Le végétarisme, si on prend le soin de bien appliquer les règles de nutrition qui s'y rattachent (voir à ce sujet le chapitre sur la complémentarité des protéines), ne mène pas à l'anémie mais tout au contraire à un état de santé resplendissant et à une mine splendide. Le végétarien ou la végétarienne absorbe, en effet, des aliments frais et naturels, exempts de produits chimiques nocifs et il ne surcharge pas son organisme de graisses saturées. De nombreux athlètes, dont le champion cycliste québécois Daniel Périgny, sont végétariens ; loin de nuire à leurs performances, le végétarisme, affirment-ils, contribue à maintenir le bon état général de leur organisme. Quant à l'opinion qui veut que le régime végétarien soit austère et fade, elle est démentie par la simple observation.

Les repas végétariens sont une fête pour les sens : la vue, l'odorat et le goût sont comblés par une abondance de couleurs, par le mélange subtil des odeurs et la richesse des saveurs. Cette plénitude des sens se double de la satisfaction intellectuelle de savoir que ces plats appétissants sont dépourvus de produits nocifs ou artificiels et qu'ils nourrissent vraiment l'organisme en lui apportant tous les nutriments nécessaires. On mange avec beaucoup plus d'appétit quand on sait ce qu'on mange.

Toutes les recettes présentées dans ce chapitre ont été conçues en fonction du principe de la complémentarité des protéines. À moins qu'il n'en soit indiqué autrement, servez ces plats avec une salade verte et un légume cuit. Pains aux noix, tarte aux légumes, pâtés, croûtes farcies, gratins, soufflés, croquettes, pilafs, pâtes alimentaires, vous y trouverez de quoi satisfaire les plus gros appétits, les goûts les plus délicats et de quoi vaincre les résistances des carnivores les plus entêtés.

La question des protéines : comment équilibrer vos repas

Vous avez décidé de cesser de manger de la viande ou tout au moins d'en diminuer la consommation. Il vous faut maintenant acquérir les quelques principes de base qui vous permettront de faire la transition entre un régime carné et un régime végétarien sans crainte de provoquer des carences alimentaires. Trop de personnes se jettent à corps perdu dans le végétarisme, croyant qu'il suffit de manger des salades et du riz et de ne plus mettre de viande dans leur sauce à spaghetti pour en récolter tous les bienfaits. Après quelques mois, elles se retrouvent amaigries, au bord de l'anémie parfois et désenchantées. Leur erreur provient de l'ignorance de certains principes de nutrition et non du végétarisme lui-même.

L'organisme humain a besoin de protéines, aussi appelées « protides », pour fonctionner normalement. Les protéines jouent un rôle capital dans la croissance et la régénérescence des tissus. Or la viande est une excellente source de protéines complètes. Une alimentation végétarienne doit donc fournir à l'individu des protéines aussi complètes que celles qu'on retrouve dans la viande. On peut classer en quatre groupes les aliments autres que la viande qui constituent de bonnes sources de protéines : ce sont les produits laitiers, les légumineuses, les noix et les graines diverses, les céréales. (Vous noterez sans doute que les légumes sont absents de cette classification car leur apport en protéines est faible ; ils sont toutefois une excellente source de vitamines et de sels minéraux.)

PRODUITS LAITIERS	LÉGUMINEUSES
lait	haricots de toutes sortes et leurs produits dérivés :
fromage	fèves de soya
yoghourt	tofu (fromage de soya)
lait de beurre	haricot de Lima
œufs	haricot rouge
	dolique à œil noir
	haricot Pinto
	petit haricot blanc
	pois cassé vert ou jaune
	pois chiche
	haricot romain
	haricot Great Northern (...)

NOIX ET GRAINES DIVERSES

cajous
noix du Brésil
pistaches
arachides
graines de tournesol
graines de citrouille
graines de sésame
noix de Grenoble
noix d'Amérique

produits dérivés

beurre d'arachides
tahini ou beurre de sésame

PRODUITS CÉRÉALIERS

farines à grain entier:
blé
seigle
maïs
pâtes alimentaires de grain entier
flocons d'avoine
orge
sarrasin
millet
riz
blé boulghour

Comment combiner les aliments de façon à obtenir des protéines complètes

Tous les aliments classés dans le groupe des produits laitiers constituent une source de protéines complètes, c'est-à-dire qu'ils contiennent les huit acides aminés essentiels, tout comme la viande. Les aliments des autres groupes contiennent des protéines incomplètes, donc déficientes en ce qui regarde certains acides aminés. Pour obtenir des protéines complètes, on doit donc combiner dans le même repas des aliments appartenant à deux groupes différents. De cette façon, les déficiences d'un aliment sont comblées par la richesse d'un autre. Les possibilités de combinaisons sont nombreuses. Voici les meilleures :

produits laitiers + légumineuses
produits laitiers + céréales
céréales + légumineuses
céréales + noix et graines
légumineuses + noix et graines (possibilités plus réduites)

Tous les plats de résistance contenus dans ce livre ont été conçus en fonction de ce principe de la complémentarité des protéines, exposé par Frances Moore Lappé dans son ouvrage *Sans viande et sans regrets*. Il vous appartiendra d'appliquer ce principe lorsque vous créerez vos propres plats. Pour vous aider à mieux comprendre ce principe de base, voici quelques exemples de repas planifiés en fonction de la complémentarité des protéines.

EXEMPLES

Repas mal planifié

potage de légumes
riz brun aux champignons
salade verte

Ce repas est incomplet car il ne comporte qu'une seule source protéinique incomplète, le riz.

(céréale : protéine incomplète)

Repas bien planifié

crème de poireaux (à base de lait)
riz aux haricots rouges
salade verte

Ce repas comporte trois sources de protéines se complétant mutuellement pour former des protéines entières : le lait (produit laitier) + le riz (céréale) + les haricots rouges (légumineuses).

Repas bien planifié

potage de légumes
riz aux tomates gratiné et parsemé de graines de sésame
épinards avec sauce vinaigrette

Riz (céréale) gratiné au fromage (produit laitier) avec graines de sésame (noix et graines).

Repas mal planifié

spaghetti de blé entier
sauce tomate aux légumes
pain de blé entier à l'ail

Avez-vous remarqué la déficience ? Ce repas contient seulement des protéines appartenant au même groupe, celui des céréales. Ce sont donc des protéines incomplètes.

Repas bien planifié

spaghetti de blé entier
sauce tomate aux légumes
généreuse addition de fromage râpé sur le spaghetti
salade verte

Voilà qui est mieux. Le fromage (produit laitier) complète le spaghetti (céréale). Quant au pain à l'ail, il est superflu dans un repas qui comporte déjà des pâtes alimentaires.

Les suppléments de protéines

Certains aliments particulièrement riches en protéines peuvent servir à augmenter la teneur en protéines des aliments auxquels ils sont mélangés. Il est sage de toujours avoir une provision de ces suppléments alimentaires car ils peuvent vous dépanner lorsque vous constatez que le plat que vous cuisinez ne contient pas assez de protéines ou que vous souhaitez l'enrichir.

Le lait en poudre

On peut ajouter 60 ml (1/4 t) de lait en poudre à toute recette de pain sans trop en changer la consistance. Pour éviter que ne se forment des grumeaux, incorporez le lait en poudre à la farine avant de commencer à faire la pâte.

Vous pouvez aussi ajouter 1 ou 2 cuillerées à soupe de lait en poudre aux ingrédients secs d'un gâteau, de muffins,

ou de biscuits, ou l'incorporer à un potage crémeux à base de lait ou à une béchamel.

La farine de soya

Une tasse de farine de soya dans une recette de pain enrichit la valeur protéinique de la farine de blé, donnant ainsi un produit plus riche en protéines. Incorporez la farine de soya à la farine de blé avant de faire la pâte. La farine de soya peut aussi servir à confectionner de délicieux biscuits ou des crêpes.

Le germe de blé

On peut saupoudrer le germe de blé rôti sur les céréales, les fruits et de nombreux plats déjà cuits.

Le germe de blé cru s'emploie surtout sur les céréales et comme garniture de plats cuits au four, en remplacement de la chapelure. On peut également l'utiliser dans les recettes de pain, à raison de 240 ml par environ 1200 ou 1440 ml de farine, dans les gâteaux, les muffins, les crêpes et les pâtes à biscuits.

Les graines de sésame

Crues ou rôties, les graines de sésame peuvent être saupoudrées sur à peu près n'importe quoi, des plats de légumes au four aux salades de fruits en passant par les céréales.

La levure de bière

Il faut utiliser la levure de bière en petite quantité car elle a un goût assez fort qui peut déplaire à certains. En règle générale, on peut ajouter de 1 à 3 cuillerées à soupe de levure de bière dans une recette de pâte (à gâteau, à biscuits, etc.) sans en changer la saveur.

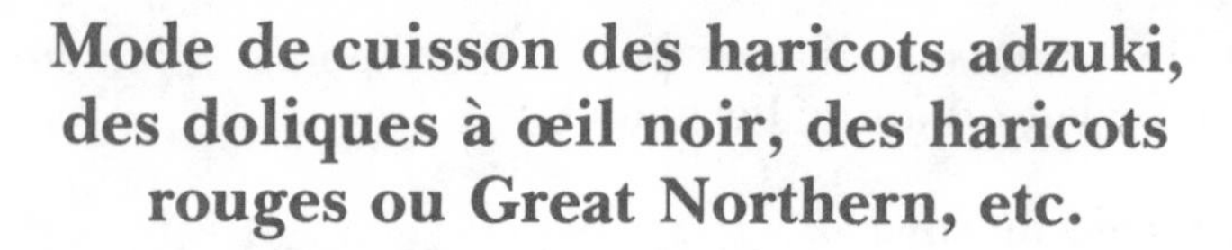

Mode de cuisson des haricots adzuki, des doliques à œil noir, des haricots rouges ou Great Northern, etc.

Trier les haricots. Mettre dans une marmite, couvrir d'eau et porter à ébullition. Retirer du feu, couvrir et laisser reposer pendant 1 heure.

Ajouter assez d'eau pour couvrir les haricots et porter une seconde fois à ébullition. Couvrir, réduire le feu et laisser mijoter jusqu'à ce que les haricots soient bien tendres. Remuer de temps à autre et ajouter de l'eau au besoin.

Saler et assaisonner pendant la dernière heure de cuisson. Ajouter des légumes si désiré. (Mesurer 1 c à thé de sel par tasse de haricots secs, ou 240 ml).

Cette méthode de cuisson vaut pour à peu près toutes les variétés de haricots. Seul le temps de cuisson varie.

TEMPS DE CUISSON

haricots adzuki	$1\frac{1}{2}$ h
doliques à œil noir	1 h
haricots rouges	$1\frac{1}{2}$ h
petits haricots blancs	$1\frac{1}{2}$ h
haricots Pinto	de $2\frac{1}{2}$ à 3 h

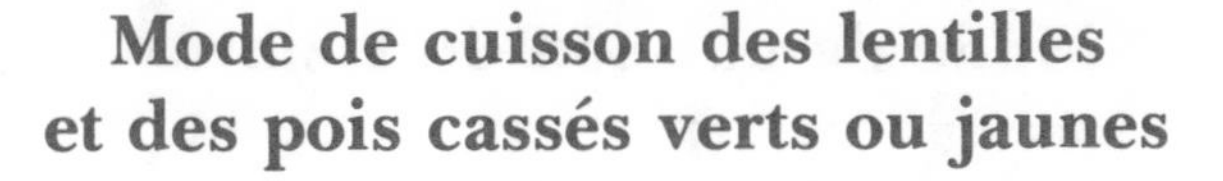

Mode de cuisson des lentilles et des pois cassés verts ou jaunes

(3 ou 4 portions)

240 ml de lentilles ou de pois
720 ml d'eau bouillante
1 c à thé de sel
1 oignon émincé

Trier soigneusement les lentilles ou les pois. Les rincer.

Mettre dans l'eau bouillante et couvrir.

Réduire le feu et laisser mijoter pendant 30 minutes ou jusqu'à ce que les légumes soient tendres. (Le temps de cuisson peut varier : il faut parfois plus de 40 minutes pour que les pois soient bien cuits.)

Vers la fin de la cuisson, saler et assaisonner.

Mode de cuisson des fèves de soya, des pois chiches et des haricots noirs

Trier les haricots ou les fèves et les rincer.

Les couvrir d'eau et les laisser tremper toute une nuit. Le lendemain, le volume des haricots aura doublé ou même triplé.

Placer les haricots dans une grande marmite. Couvrir d'eau et porter à ébullition. Couvrir, mettre à feu doux et laisser mijoter jusqu'à ce que les haricots soient tendres (de 3 à 4 heures). Remuer de temps à autre et ajouter de l'eau au besoin.

Saler et assaisonner à la fin de la cuisson (1 c à thé de sel par tasse de haricots).

Note : Une tasse de haricots secs (240 ml) donne 4 portions. On peut congeler les haricots après le trempage. Gardez-en quelques tasses au congélateur : vous pourrez ainsi les apprêter assez rapidement sans devoir attendre toute une nuit.

Mode de cuisson du riz brun

(3 tasses)

240 ml de riz brun
480 ml d'eau ou de bouillon de légumes
1/4 c à thé de sel

Laver le riz et enlever s'il y a lieu toute particule étrangère.

Amener l'eau salée à ébullition. Verser le riz. Remuer. Couvrir.

Cuire à feu doux de 35 à 45 minutes jusqu'à ce que l'eau soit entièrement absorbée. Ne pas remuer pendant la cuisson : cela rend le riz collant.

Le riz à grain court est plus long à cuire que le riz à grain long.

Mode de cuisson du riz sauvage

(4 portions)

240 ml de riz sauvage
1/2 c à thé de sel
720 ml d'eau

Laver le riz dans l'eau froide. Saler l'eau et la porter à ébullition.

Verser le riz, couvrir et bouillir pendant 5 minutes.

Retirer du feu et laisser reposer pendant 1 heure.

Remettre sur le feu et cuire à feu moyen environ 30 minutes, jusqu'à ce que l'eau soit complètement absorbée.

Millet aux petits pois

(de 4 à 6 portions)

840 ml d'eau bouillante
2 cubes de concentré de légumes
— ou —
840 ml de bouillon de légumes bouillant
1 c à soupe de sauce soya

2 c à soupe d'huile
1 gros oignon haché fin
240 ml de millet

240 ml de petits pois frais ou congelés

240 ml de sauce au fromage (voir recette p. 189)
— ou —
fromage râpé

S'il y a lieu, dissoudre les cubes de concentré dans l'eau bouillante. Verser la sauce soya dans le bouillon de légumes.

Faire blondir l'oignon dans l'huile. Verser le millet dans la poêle, remuer et cuire 2 minutes environ.

Verser le bouillon de légumes bouillant sur le millet. Couvrir. Cuire doucement pendant 15 minutes. Ajouter les petits pois à mi-cuisson et cuire encore pendant 15 minutes ou jusqu'à ce que l'eau soit complètement absorbée.

Servir avec une sauce au fromage ou du fromage râpé et une salade verte. (Sans le fromage, ce plat, si délicieux qu'il soit, ne constitue pas une source complète de protéines.)

Riz cajun

(4 portions)

2 c à soupe d'huile
1 gros oignon haché
1 branche de céleri hachée
la moitié d'un poivron vert haché
120 ml de champignons hachés
la moitié d'un piment rouge fort (rectifier la quantité suivant le goût)

360 ml de riz brun cuit (voir méthode de cuisson p. 126)
180 ml de lentilles ou de haricots cuits (voir mode de cuisson p. 125)
240 ml de tomates en boîte
2 c à soupe de purée de tomates
3 c à soupe de parmesan râpé
1 c à soupe de sauce soya
1 c à thé de moutarde de Dijon
1 grosse pincée de basilic

240 ml de cheddar râpé (facultatif)

Faire revenir les oignons et le céleri dans l'huile, environ 3 minutes. Ajouter le poivron, les champignons et le piment rouge et faire rissoler jusqu'à ce que tous les légumes soient tendres.

Ajouter tous les autres ingrédients, sauf le cheddar. Couvrir et laisser mijoter 10 minutes.

Garnir de cheddar si désiré, couvrir et laisser encore mijoter quelques instants jusqu'à ce que le fromage ait fondu.

Note : Le riz cajun est vite fait si on a déjà des restes de riz et de haricots. Si vous ne pouvez trouver de piment rouge frais, employez du piment séché ou du piment de Cayenne.

Riz aux haricots verts

(4 portions)

2 c à soupe d'huile
1 oignon haché
240 ml de champignons hachés
480 ml de riz brun cuit (voir mode de cuisson p. 126)

480 ml de haricots verts

240 ml de sauce béchamel
120 ml de fromage râpé

Laver les haricots et les couper en tronçons. Les cuire à la vapeur pendant que cuit le riz.

Faire blondir l'oignon et les champignons.

Mettre dans un plat à gratiner le riz mêlé avec les légumes rissolés et les haricots. Couvrir de béchamel et saupoudrer de fromage.

Cuire à couvert au four à 180°C de 25 à 30 minutes.

Servir avec une salade.

Riz au sésame et au tournesol

(6 portions)

2 c à soupe d'huile
480 ml d'échalotes hachées
3 branches de céleri hachées

120 ml de graines de tournesol
— ou —
60 ml de graines de tournesol et 60 ml de graines de citrouille
60 ml de graines de sésame
720 ml de riz brun cuit (voir mode de cuisson p. 126)
240 ml de fruits secs mélangés ou de raisins secs
1/4 c à thé de gingembre moulu
1/2 c à thé de sel
480 ml de fromage coupé en cubes

Faire rissoler les légumes dans l'huile quelques minutes. Y ajouter les graines et les faire dorer 2 ou 3 minutes en remuant constamment.

Dans un plat badigeonné d'huile, mettre le riz mélangé avec les légumes, les graines, les fruits secs et les assaisonnements. Parsemer de fromage en cubes.

Couvrir et cuire au four à chaleur modérée pendant 10 minutes.

Sarrasin pilaf

(4 portions)

2 c à soupe d'huile d'olive
180 ml de kasha (sarrasin en grains)
60 ml de semoule de soya
120 ml de graines de tournesol
1 œuf battu
1 gros oignon haché
1 ou 2 gousses d'ail pressées

600 ml d'eau bouillante ou de bouillon de légumes
3 c à soupe de sauce soya

Mêler tous les ingrédients (sauf l'eau bouillante et la sauce soya) dans une poêle et cuire à feu moyen pendant 10 minutes, en remuant fréquemment. Attention de ne pas brûler les grains de sarrasin.

Verser l'eau bouillante et couvrir. Réduire le feu. Cuire à feu doux de 20 à 25 minutes jusqu'à ce que l'eau soit complètement absorbée. Assaisonner de sauce soya selon le goût.

Note : Servez ce pilaf avec une salade et un légume cuit. Garnissez de persil et de tomates cerise.

Garniture pour les tortillas

(6 portions)

2 c à soupe d'huile
1 oignon de bonne taille haché
2 gousses d'ail émincées
1 poivron vert haché

360 ml de haricots rouges secs
120 ml du liquide de cuisson des haricots
240 ml de tomates en boîte dans leur jus
2 c à soupe de purée de tomates
1 1/2 c à thé de sel
1 c à thé de basilic
1/2 c à thé de cumin
1/4 c à thé d'origan
quelques pincées de Cayenne, selon le goût

Cuire les haricots selon la méthode indiquée en page 124.

Faire revenir dans l'huile l'oignon, l'ail et le poivron.

À l'aide d'un pilon à pommes de terre, réduire en purée les haricots baignant dans le liquide de cuisson. Incorporer les tomates, la purée, les fines herbes, les légumes rissolés.

Laisser mijoter à petit feu environ 10 minutes afin que les saveurs s'unissent.

Note : Vous pouvez également servir cette garniture sur du riz ou du pain, accompagnée d'une salade verte.

Haricots de Lima au fromage

(4 ou 5 portions)

3 branches de céleri hachées
1 gros oignon haché

360 ml de sauce au fromage (voir recette p. 189)
1 c à soupe de moutarde de Dijon
1/2 c à thé de sel
1/2 c à thé de sarriette

720 ml de haricots de Lima cuits (voir mode de cuisson p. 124)

240 ml de chapelure de blé entier
beurre ou margarine

Faire blondir dans l'huile le céleri et l'oignon. Ajouter ces légumes à la sauce fromage, aromatiser de moutarde et saler.

Verser la sauce sur les haricots et remuer délicatement pour que les haricots soient bien enrobés. Verser cette préparation dans un plat à gratin peu profond.

Saupoudrer de chapelure, parsemer de petites touches de beurre ou de margarine.

Placer quelques instants sous le gril du four.

Haricots à la mode du Sud

On ne mange pas que du poulet au Kentucky ! Les haricots Pinto et les doliques à œil noir sont aussi extrêmement populaires, particulièrement chez les gens de la campagne. Nul besoin de recettes compliquées pour les apprêter. Il suffit de les faire cuire dans beaucoup d'eau (5 tasses d'eau et plus par tasse de haricots secs, soit 1200 ml d'eau et plus par 240 ml de haricots secs), jusqu'à ce que les légumes soient tendres et que l'eau se soit transformée en une sauce délicieuse. Du sel au goût de chacun, un peu de beurre et voilà. Servez-les avec une salade verte et du pain fait à la maison. Et si voulez à tout prix respecter les traditions culinaires du Kentucky, dégustez vos haricots avec du pain de maïs chaud (voir recette p. 71) et de la verdure cuite à la vapeur (épinards, feuilles de moutarde ou de navet.)

Croquettes d'avoine

(2 grosses portions)

Sauce

1 c à soupe d'huile
2 c à soupe de farine de blé entier à pâtisserie
240 ml de jus de tomate
1 gousse d'ail pressée
3 c à soupe de sauce soya

croquettes

240 ml de flocons d'avoine (gruau)
1/2 c à thé de sel
1/2 c à thé de sauge
1 oignon haché
3 œufs battus

Lier l'huile et la farine. Incorporer lentement le jus de tomate puis la sauce soya et l'ail. Laisser reposer.

Mélanger l'avoine, le sel, la sauge et l'oignon. Ajouter les œufs bien battus.

Dans une poêle huilée, déposer de grosses cuillerées à soupe du mélange et former rapidement les croquettes en tassant le mélange avec la spatule.

Dorer les deux côtés des croquettes à feu vif.

Retirer les croquettes de la poêle, y verser la sauce et la remuer pendant qu'elle épaissit. Puis, à feu doux, mettre les croquettes à cuire dans la sauce.

Couvrir et laisser mijoter de 15 à 20 minutes.

Croquettes de blé et de noix

(2 ou 3 portions)

240 ml de grains de blé cuits*
80 ml de noix moulues (amandes, noix de Grenoble, etc.)

2 c à soupe de beurre d'arachides

Mélanger tous les ingrédients.

Avec les mains, façonner 4 ou 5 croquettes.

Faire rôtir les croquettes dans une poêle bien huilée.

Servir avec la sauce au fromage (voir recette p. 189).

* Voir « blé cuit dans le thermos » p. 42.

Croquettes de fromage

(4 ou 5 portions)

450 g de fromage blanc dit « cottage » (le fromage de marque « Liberty » est celui qui convient le mieux)

2 gros œufs

1 oignon émincé
2 gousses d'ail pressées
6 c à soupe de sauce soya (ne diminuez pas la quantité : elle est nécessaire)
120 ml de graines de sésame
480 ml de flocons d'avoine (gruau)

Battre en crème le fromage et les œufs.

Ajouter les autres ingrédients et bien mélanger.

Former les croquettes (environ 1,5 cm d'épaisseur et 10 cm de diamètre).

Dans une poêle bien huilée, saisir les croquettes d'un côté puis de l'autre. Réduire le feu et frire à feu moyen de 10 à 15 minutes.

Servir ces croquettes nature, avec une salade et un légume cuit. Vous pouvez aussi les napper de votre sauce préférée.

Croquettes du prophète

(4 portions, soit 8 croquettes)

480 ml de lentilles cuites (voir mode de cuisson p. 125)
240 ml de chapelure de blé entier
120 ml de noix hachées
60 ml de germe de blé rôti
1 petit oignon râpé
2 gousses d'ail pressées ou émincées
1/2 c à thé de graines de céleri
1/2 c à thé de sauge
1 c à soupe de sauce soya

farine pour enrober les croquettes

Quand les lentilles sont cuites, les écraser à l'aide d'un pilon à pommes de terre. Incorporer tous les autres ingrédients.

Façonner en croquettes et les enrober de farine.

Dans une poêle recouverte d'un peu d'huile chaude, dorer chaque croquette des deux côtés, jusqu'à ce qu'elles soient croustillantes.

Servir avec votre sauce favorite.

Pain Amandine

(de 4 à 6 portions)

- 360 ml d'amandes moulues
- 480 ml de chapelure de blé entier
- 2 œufs
- 240 ml de tomates en boîte dans leur jus
- 1 petit oignon haché menu
- 2 gousses d'ail pressées
- 1 c à soupe de sauce soya
- 1 c à soupe d'huile non raffinée
- 1/2 c à thé de gingembre moulu
- 3 c à soupe de persil frais

Mélanger tous les ingrédients dans l'ordre donné en travaillant à la cuillère de bois.

Presser le tout dans un plat à gratiner badigeonné d'huile.

Cuire au four à découvert à bonne chaleur moyenne (180°C) pendant 30 minutes.

Servir avec une sauce brune (voir recette p. 186).

Note : On peut moudre les amandes dans le mélangeur mais la mouture ne doit pas être trop fine car cela modifierait la consistance du plat.

Pain de luxe aux pacanes

(4 ou 5 portions)

- 480 ml de pacanes hachées
- 240 ml de tomates en boîte dans leur jus
- 1 oignon émincé
- 240 ml de chapelure de blé entier
- 2 œufs battus
- 2 c à soupe d'huile
- 80 ml de lait
- 3/4 c à thé de sel
- 1/2 c à thé de sauge

Mélanger tous les ingrédients dans l'ordre donné en travaillant à la cuillère de bois.

Verser le mélange dans un plat à gratiner badigeonné d'huile. À l'aide d'un pinceau à pâtisserie, badigeonner d'huile le dessus du mélange.

Cuire au four à découvert à bonne chaleur moyenne (180°C) de 35 à 40 minutes.

Servir avec la sauce brune (voir recette p. 186).

Note : À cause du prix élevé des pacanes, ce plat coûte assez cher. On le réservera pour les grandes occasions car il est particulièrement savoureux.

Pâté Grenoble

(4 portions)

- 480 ml de grains de blé cuits (voir mode de cuisson p. 44)
- 2 œufs
- 1 oignon de taille moyenne haché
- 1 c à thé de sel
- 1/4 c à thé de sauge
- 120 ml de lait
- 2 c à soupe d'huile
- 240 ml de noix de Grenoble hachées
- 2 c à soupe de farine de blé entier

Mélanger tous les ingrédients dans l'ordre donné.

Presser la préparation dans un moule à pain badigeonné d'huile.

Cuire au four à 180°C de 35 à 40 minutes.

Servir avec une sauce au fromage (voir recette p. 189)

Suggestion de menu

Pâté Grenoble
Sauce fromage

Haricots verts frais cuits à la vapeur
Salade de carottes

Simili boulettes de viande

(1 douzaine de boulettes)

120 ml de graines de tournesol
60 ml de noix de cajous
60 ml d'arachides crues non salées

3 œufs battus
2 gousses d'ail pressées
1 c à soupe de sauce soya
240 ml de chapelure de blé entier *rôtie*

840 ml de sauce tomate (voir recette p. 190)

Moudre les graines et les noix dans le mélangeur.

Incorporer aux autres ingrédients préalablement mélangés.

Façonner en boulettes.

Porter la sauce tomate à ébullition, y mettre les boulettes, couvrir et laisser mijoter à petit feu environ 15 minutes.

Variante :

Spaghetti aux boulettes végétariennes

Faire chauffer les restes de « simili boulettes de viande » dans une sauce tomate épicée, et l'on obtient une sauce à spaghetti nourrissante, parfaite sur des nouilles de grain entier.

Terrine de « tofu »

(4 personnes)

480 ml de « tofu » écrasé, soit environ 5 cubes
1 gros oignon haché
240 ml de flocons d'avoine (gruau)
120 ml de noix hachées
3 c à soupe de beurre d'arachides
4 c à soupe de sauce soya
1 gousse d'ail pressée

Mélanger tous les ingrédients. Presser le tout dans un moule à pain huilé.

Cuire au four à 180°C de 55 à 60 minutes.

Démouler sur un plat de service chaud.

Note : Servir avec la sauce orientale ou la sauce brune (voir recette p. 186).

Oeufs à la chinoise

compter 1 ou 2 œufs par personne
eau
sauce soya
huile
oignon haché menu
ail pressé (facultatif)

Casser les œufs dans une grosse tasse à mesurer. Verser la même quantité d'eau que les œufs cassés. (Par exemple : 240 ml d'eau pour 240 ml d'œufs.)

Battre à la fourchette les œufs et l'eau. Saler.

Verser ce mélange dans un petit bol et placer celui-ci sur un support placé au fond d'une marmite recouverte d'environ 5 cm d'eau. Vous pouvez également placer le bol dans une marmite à vapeur ou dans un tamis. Si vous n'avez aucun de ces instruments, pliez un linge de table propre et mettez-le au fond d'une marmite.

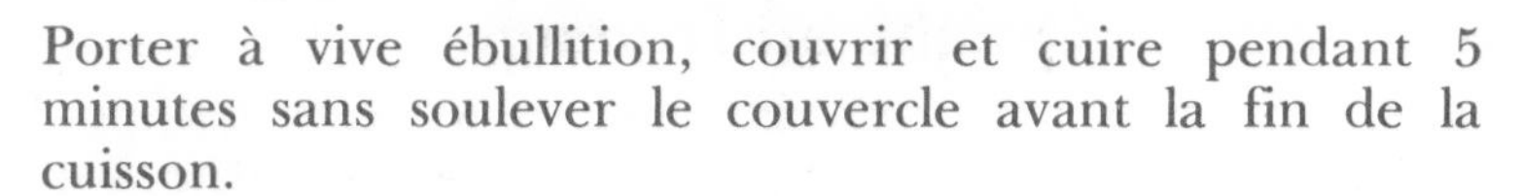

Porter à vive ébullition, couvrir et cuire pendant 5 minutes sans soulever le couvercle avant la fin de la cuisson.

Pendant la cuisson, faire blondir l'oignon et l'ail dans un peu d'huile.

Quand la cuisson est terminée (les œufs auront la consistance d'un flan), assaisonner les œufs de sauce soya suivant le goût et garnir avec les oignons et l'ail.

Servir avec du riz et des légumes.

Oeufs Florentine

(4 portions)

environ 300 g (10 oz) d'épinards frais
4 c à soupe de fromage parmesan râpé
4 œufs

2 c à soupe d'huile
2 c à soupe de farine de blé entier mou
360 ml de lait
1 c à thé de sel

60 ml de chapelure

Laver les épinards et les cuire à la vapeur quelques instants. Les égoutter.

Couvrir d'épinards le fond d'un plat peu profond. Avec le dos d'une cuillère à soupe, creuser dans la verdure quatre cavités assez grandes pour qu'on puisse y casser un œuf. Saupoudrer chaque cavité de 1 c à soupe de fromage et y casser un œuf.

En remuant au fouet, chauffer à petit feu l'huile et la farine, puis incorporer peu à peu le lait et fouetter le mélange jusqu'à ce qu'il épaississe. Saler.

Verser la sauce sur le plat d'épinards. Garnir de chapelure.

Cuire au four à chaleur vive (235°C) pendant 10 minutes environ. Les œufs doivent être bien cuits au sortir du four.

Quiche au fromage

(4 généreuses portions)

1 oignon de bonne taille haché

6 œufs
60 ml de lait
3 c à soupe de persil frais haché
1 c à soupe de ciboulette fraîche hachée
1 c à thé de sel

240 ml de fromage à pâte ferme râpé (un cheddar fort par exemple)

1 croûte de tarte de blé entier (voir recette p. 232)

Faire rissoler les oignons dans un peu d'huile.

Battre les œufs avec le lait et les aromates. Saler.

Couvrir d'oignon le fond de la croûte puis verser la préparation. Garnir de fromage.

Cuire au four à 350°F pendant 30 minutes environ.

Soufflé au brocoli

(4 portions)

- 4 ou 5 tranches de pain de blé entier

- 3 c à soupe d'huile
- 4 c à soupe de farine
- 320 ml de lait
- 1 1/2 c à thé de sel
- 1 c à thé de moutarde de Dijon
- 1 pincée de Cayenne

- 160 ml de fromage râpé
- 480 ml de brocoli haché menu
- 2 c à soupe d'oignon émincé

- 5 œufs (jaunes et blancs séparés)

Dresser les tranches de pain dans un moule à soufflé de façon à en couvrir le fond et les parois. (À défaut de moule à soufflé, utiliser de préférence un plat à gratin rond, aux parois droites plutôt qu'évasées.)

Dans une petite casserole, mélanger l'huile et la farine. Sur feu doux, incorporer graduellement le lait en remuant constamment. Quand la sauce est onctueuse, saler, poivrer et aromatiser de moutarde de Dijon. (Rectifier l'assaisonnement suivant le goût.)

Retirer du feu. Ajouter le fromage et remuer jusqu'à ce qu'il ait fondu, puis ajouter le brocoli et l'oignon. Laisser reposer environ 5 minutes. Après les avoir battus, ajouter les jaunes d'œufs, un à un, au mélange.

Battre les blancs d'œufs en neige ferme, dans un autre récipient.

Cueillir une bonne cuillerée à soupe de blanc d'œuf et la mélanger avec précaution à la préparation de brocoli. Puis incorporer très délicatement le reste des blancs d'œufs en soulevant le mélange de façon à y faire entrer l'air. (Ne pas remuer vigoureusement ou battre.) Verser doucement la préparation dans le moule garni de pain.

Cuire au four à 180°C de 50 à 55 minutes. Ne pas ouvrir le four pendant la cuisson.

Soufflé au fromage

(2 ou 3 portions)

1 c à soupe d'huile
2 c à soupe de farine de blé entier
180 ml de lait
160 ml de fromage râpé
1 c à thé de sel
1 c à thé de moutarde de Dijon
1/4 c à thé de romarin
une pincée de Cayenne

4 œufs, jaunes et blancs séparés

Faire chauffer l'huile et y délayer la farine avec le fouet. Mouiller progressivement cette préparation avec le lait.

Sans cesser de remuer, ajouter le fromage râpé et le fromage fondu, saler, assaisonner avec la moutarde, le romarin, le cayenne. Laisser tiédir. (Pour que la préparation refroidisse rapidement, placer la casserole dans un plat ou dans un évier remplis d'eau froide.)

Battre les jaunes d'œufs dans la préparation en les ajoutant un à la fois.

À l'aide d'un batteur à œufs, monter les blancs d'œufs en neige ferme.

Cueillir une grosse cuillerée à soupe de blancs d'œufs et la mélanger délicatement à la préparation.

Incorporer délicatement le reste des blancs d'œufs en soulevant le mélange pour l'aérer le plus possible, sans le brasser. (C'est cette opération qui assure la légèreté du soufflé.)

Verser la préparation dans un moule à soufflé ou, à défaut, dans un moule rond aux bords élevés.

Cuire au four à 180°C de 30 à 35 minutes. Ne pas ouvrir le four pendant la cuisson.

Croûte Vicki

(4 portions)

480 ml de pain de blé entier en cubes
240 ml de lait
1 c à thé de sel
1/4 c à thé de sauge

1 c à soupe d'huile
1 gros oignon haché

3 œufs entiers

Humecter de lait le pain. Saler et aromatiser. Laisser reposer.

Faire rissoler l'oignon dans l'huile. Ajouter au pain.

Séparer les blancs des jaunes.

Battre les jaunes dans la préparation de pain.

Monter les blancs d'œufs en neige ferme. Cueillir une cuillerée à soupe de blancs d'œufs et l'ajouter délicatement au mélange. Puis incorporer délicatement le reste des blancs en soulevant le mélange.

Verser cette préparation dans un plat à gratiner badigeonné d'huile.

Cuire au four à 180°C de 30 à 35 minutes.

Servir avec une sauce brune (voir recette p. 186).

Note : Une excellente recette pour employer les restes de pain.

Pizza sicilienne

pâte (3 bonnes portions)

1 c à thé de levure active sèche
2 c à soupe d'eau tiède

1 œuf
2 c à soupe d'huile
80 ml de lait
½ c à thé de sel

360 ml de farine de blé entier

Dissoudre la levure dans l'eau.

Dans une casserole de grandeur moyenne, mélanger l'huile, le lait, le sel et l'œuf et chauffer très légèrement. (Le mélange doit être tiède.) Retirer du feu et verser la levure.

Incorporer la farine et mélanger à la cuillère de bois jusqu'à ce que la pâte se détache des parois de la casserole et forme une masse compacte.

Placer la pâte dans un bol préalablement huilé et couvrir d'un linge humide. Laisser la pâte dans un endroit sec, à une température moyenne, pendant 45 minutes.

Pétrir la pâte pendant 2 minutes.

Avec les mains ou un rouleau à pâte, étendre la pâte sur une plaque à biscuits de 25 cm sur 38 cm.

garniture

600 ml de sauce tomate (voir recette p. 190)
1 c à thé d'origan
480 ml de mozzarella râpé
120 ml de parmesan râpé
champignons tranchés
poivrons verts tranchés } facultatif
olives noires hachées

Étendre la sauce sur la pâte. Saupoudrer d'origan. Parsemer des morceaux de légumes. Garnir de fromage.

Cuire au four à 200°C de 15 à 20 minutes.

Macaroni Méditerranée

(4 portions)

	environ 225 g de macaronis de blé entier non cuits
480	ml de sauce tomate (voir recette p. 190)
240	ml de fromage blanc écrémé (fromage « cottage »)
80	ml de fromage parmesan râpé ou de cheddar fort
80	ml d'olives noires émincées

Cuire les macaronis « al dente » (c'est-à-dire encore légèrement croquants) dans de l'eau bouillante salée.

Chauffer la sauce tomate, y verser les pâtes, le fromage et les olives et cuire quelques instants encore.

Macaroni aux légumes

(4 portions)

240 ml de macaronis de grain entier non cuits

2 ou 3 carottes tranchées en rondelles
2 branches de céleri hachées
1 oignon haché
240 ml de petits pois frais ou congelés

1 c à soupe d'huile
2 c à soupe de farine de blé entier
240 ml de lait
1 c à soupe de parmesan râpé
1 c à thé de sel

240 ml de fromage râpé

Cuire les macaronis dans l'eau. Rincer.

Pendant que les pâtes cuisent, cuire à la vapeur les carottes, le céleri et l'oignon (ces légumes doivent demeurer légèrement croquants) ; ajouter les petits pois et cuire encore de la même façon.

Chauffer l'huile dans une poêle, ajouter la farine. Bien mélanger. Incorporer lentement le lait en remuant constamment jusqu'à ce que la sauce ait la consistance désirée. Saupoudrer le parmesan et saler.

Mélanger les macaronis, les légumes et la sauce. Verser dans un moule légèrement huilé. Garnir de fromage râpé.

Cuire au four à 190°C pendant 15 minutes.

Note : Servez ces macaronis avec une salade verte assaisonnée de vinaigrette italienne (voir recette p. 194).

Carrés aux épinards

(4 portions)

environ 300 g d'épinards frais

environ 450 g de fromage blanc « Liberty » (fromage « cottage »)

2 œufs
1 c à thé de sel
60 ml de graines de sésame

Laver et assécher les épinards. Les déchiqueter.

Mettre en crème les œufs, le fromage et le sel. Ajouter les épinards au mélange. Presser le tout dans un moule rectangulaire de 28 cm sur 18 cm. Saupoudrer de graines de sésame.

Cuire au four à 180°C de 25 à 30 minutes.

Couper en carrés et servir. Un plat riche en protéines et facile à faire !

Chou en spaghettis

chou
sauce tomate
fromage râpé

Le chou remplace les spaghettis dans cette recette.

Trancher le chou en fines lamelles et le cuire à la vapeur environ 20 minutes ou jusqu'à ce que les lamelles soient bien tendres.

Chauffer la sauce tomate.

Servir comme du spaghetti, recouvert de sauce tomate et garni de fromage.

Note : Cette étrange recette a l'avantage d'être économique, tant au point de vue monétaire qu'au point de vue de la teneur en calories. Enfin une recette de spaghetti pour ceux qui surveillent leur poids !

Courges d'Italie farcies

(« zucchini »)

(4 portions)

4 courges de grosseur moyenne

2 œufs
360 ml de chapelure de blé entier
1 petit oignon émincé
2 c à soupe de persil haché
1 gousse d'ail émincée ou pressée
1 $^{1}/_{4}$ c à thé de sel
1 c à soupe d'huile

180 ml de fromage râpé

Brosser les courges, les laver et en couper la tige.

Cuire les courges entières à la vapeur environ 20 minutes. Laisser refroidir.

Couper les courges en deux dans le sens de la longueur, les évider et hacher la pulpe.

Aux œufs battus, ajouter la chapelure, l'oignon, le persil, l'ail, le sel, l'huile et la pulpe.

Disposer les courges sur une plaque à biscuits badigeonnée d'huile et les remplir de la garniture. Saupoudrer de fromage râpé.

Cuire au four à 180°C pendant 20 minutes ou jusqu'à ce que la préparation mijote.

Crêpes farcies aux épinards

(pour 4 à 6 personnes)

les crêpes

240 ml de farine de blé entier mou
1/2 c à thé de sel
240 ml de lait
4 œufs

Mélanger la farine et le sel. Verser graduellement le lait. Incorporer les œufs un à un en battant à la cuillère jusqu'à ce que le mélange soit lisse et homogène.

Cuire les crêpes à la manière bretonne, c'est-à-dire en versant le mélange à l'aide d'une louche et en l'étendant avec une spatule pour que la crêpe soit mince. (Les « pancakes » américains sont beaucoup plus épais et plus petits que les crêpes françaises.) Faire dorer les deux côtés de la crêpe.

la garniture

2 paquets de 283 g d'épinards frais
480 ml de sauce béchamel (voir recette p. 185)
180 ml de noix hachées
1/2 c à thé de sel
120 ml de fromage râpé

Laver les épinards et les cuire à la vapeur de 8 à 10 minutes. Égoutter. (Conserver l'eau de cuisson des épinards pour mettre dans les soupes ou les sauces.) Déchiqueter les épinards.

Confectionner la sauce béchamel.

Mélanger les épinards avec la moitié de la sauce, ajouter les noix et saler. (Vérifier l'assaisonnement et corriger s'il y a lieu.)

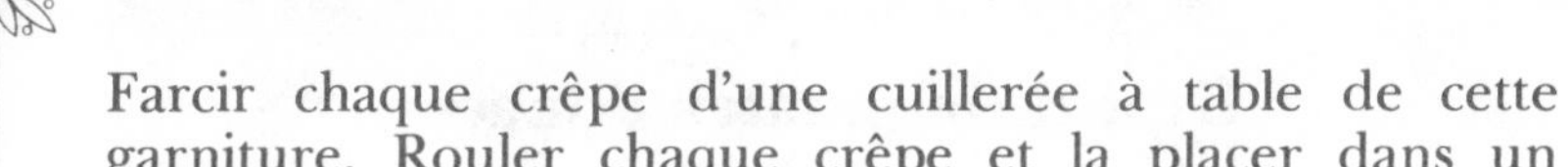

Farcir chaque crêpe d'une cuillerée à table de cette garniture. Rouler chaque crêpe et la placer dans un moule peu profond.

Verser le reste de la sauce sur les crêpes placées côte à côte et parsemer de fromage.

Cuire au four à 200°C pendant 10 minutes.

Note : Ces crêpes sont délicieuses avec une salade de carottes. Les ingrédients se divisent bien en deux si on veut faire cette recette pour deux ou trois personnes.

Gratin de patates douces

(4 portions)

360 ml de patates douces cuites (voir mode de cuisson p. 98)
1 œuf
60 ml de lait
1 c à thé de sel

1 gros oignon haché
de 1 à 3 gousses d'ail, suivant le goût

240 ml de fromage râpé
240 ml de chapelure
120 ml de germe de blé cru

Réduire les patates douces en purée. La mélanger avec l'œuf, le lait et le sel.

Faire blondir l'oignon et l'ail dans l'huile. Ajouter à la préparation.

Verser la préparation dans un moule à gratiner badigeonné d'huile.

Garnir de fromage râpé.

Mêler la chapelure et le germe de blé et en saupoudrer le dessus de la préparation. Parsemer de légères touches de beurre.

Cuire au four à bonne chaleur moyenne (180°C) de 20 à 25 minutes.

Servir avec une salade verte et des haricots verts cuits à la vapeur.

Mode de cuisson des patates douces (ne pas confondre avec les pommes de terre).

On peut cuire les patates douces à la vapeur après les avoir coupées en gros morceaux ou dans une marmite à pression. Il n'est pas nécessaire de les éplucher. Rappelez-vous qu'on doit toujours employer le moins d'eau possible pour cuire les légumes.

Fricot d'hiver

(4 portions)

360 ml de pommes de terre tranchées finement (avec la pelure)
360 ml de navets tranchés finement (avec la pelure)
1 gros oignon tranché en rondelles séparées
480 ml de fromage râpé
sel
poivre
240 ml de chapelure
240 ml de lait
margarine ou beurre

Laver et brosser les pommes de terre et les navets. Les trancher sans les éplucher.

Badigeonner d'huile un moule à gratiner. Y disposer la moitié des tranches de pommes de terre, puis la moitié des tranches de navet et la moitié des anneaux d'oignon. Couvrir ces légumes de la moitié de fromage râpé. Saler, poivrer et parsemer de petites touches de margarine.

Répéter ces opérations.

Garnir de la chapelure puis imbiber celle-ci de lait. Parsemer à nouveau de légères touches de margarine ou de beurre.

Cuire au four à découvert à 180°C pendant environ 45 minutes.

Gratin d'aubergine

(4 portions)

1 aubergine de bonne taille tranchée en rondelles fines
1 petit poivron vert haché menu
1 petit oignon émincé
3 tomates tranchées en rondelles épaisses
sel
basilic

360 ml de fromage râpé
240 ml de chapelure de blé entier
margarine

Couvrir de la moitié des tranches d'aubergine un plat à gratiner badigeonné d'huile.

Disposer ensuite la moitié des poivrons et des oignons et une rangée de tranches de tomates.

Saler et saupoudrer de basilic.

Répéter ces opérations.

Couvrir le plat et cuire au four à 180°C pendant 40 minutes.

Couvrir de fromage puis de chapelure et parsemer de petites touches de margarine.

Remettre au four quelques instants sous le gril afin de dorer le gratin.

Humita en olla

(plat de maïs épicé et crémeux)

de 14 à 16 épis de maïs (6 portions)

180 ml de lait
3 c à thé de basilic séché (augmenter la quantité s'il s'agit de basilic frais)
1 c à thé de sel
la moitié d'un piment rouge fort haché menu
— ou —
une bonne pincée de Cayenne

2 c à soupe d'huile
4 gousses d'ail émincées
2 gros poivrons verts hachés menu
1 c à thé d'origan
2 c à thé de miel

1 ou 2 c à soupe de sirop d'érable

Râper très finement les épis de maïs. (Pour ce faire, utiliser les plus petites perforations d'une râpe à fromage, ou simplement moudre les grains de maïs dans le mélangeur.)

Mettre le maïs dans une grande marmite, ajouter le lait, le basilic, le sel et le piment. Bien mélanger le tout. Cuire à feu doux pendant 30 minutes, en tournant fréquemment avec la cuillère de bois.

Pendant que cuit le maïs, faire rissoler dans l'huile l'ail, l'oignon et le poivron. Ajouter le miel et assaisonner avec l'origan. Verser cette préparation dans la marmite de maïs après les 45 minutes de cuisson et cuire encore une quinzaine de minutes en remuant constamment.

Transvider la préparation dans un moule à gratiner et parsemer de gouttes de sirop d'érable.

Faire dorer le maïs quelques instants sous le gril du four.

Note : La quantité de maïs peut sembler effarante mais elle réduit considérablement à la cuisson. Essayer cette recette sud-américaine en automne, quand le maïs abonde sur le marché. Servir avec des haricots cuits et une salade de concombres et de tomates.

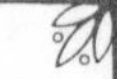

Maïs au four

(3 généreuses portions)

2 c à soupe d'huile
1 oignon haché
1 poivron vert haché

1 œuf
60 ml de fromage ricotta
1/2 c à thé de sel
180 ml de fromage cheddar fort
360 ml de grains de maïs frais
120 ml de chapelure

Faire rissoler l'oignon et le poivron dans l'huile.

Mettre en crème l'œuf, le ricotta et le sel. Ajouter à cette préparation les légumes rissolés, le cheddar et le maïs. Bien lier.

Verser le mélange dans un moule à gratiner badigeonné d'huile. Garnir de chapelure. Parsemer de légères touches de beurre si désiré. Couvrir.

Cuire au four à 180°C pendant 10 minutes, puis retirer le couvercle, et cuire encore 20 minutes environ.

Servir avec des haricots verts cuits à la vapeur et des tranches de tomates fraîches.

Pâté jardinière

(4 portions)

1 pomme de terre coupée en dés
2 carottes tranchées en rondelles
1 panais coupé en dés
2 branches de céleri hachées
1 oignon tranché en rondelles
120 ml de petits pois frais ou congelés

sauce

3 c à soupe de farine de blé entier
2 c à soupe d'huile
360 ml de lait
1 grosse pincée de sel

croûte

360 ml de farine de blé entier mou
1/2 c à thé de levure à pâtisserie (« poudre à pâte »)
1/4 c à thé de soda
1/2 c à thé de sel
160 ml de fromage râpé
240 ml de lait
2 c à soupe d'huile

Cuire les légumes à la vapeur. Pendant ce temps, préparer la béchamel.

Béchamel : Mélanger la farine et l'huile dans une petite casserole, à feu doux. Incorporer lentement le lait et continuer de remuer jusqu'à ce que la sauce ait une texture onctueuse. Saler.

Verser la sauce sur les légumes cuits. Verser dans un moule préalablement graissé.

Croûte : Mélanger tous les ingrédients secs, puis le fromage. Ajouter le lait de beurre et l'huile et remuer délicatement. Cesser de remuer dès que les ingrédients sont liés et forment une pâte humide. Étendre cette pâte sur les légumes en ménageant un espace sur les côtés pour permettre aux vapeurs de s'échapper.

Cuire au four à 190°C de 20 à 25 minutes.

Tarte aux épinards

(pour 4 personnes)

environ 300 g d'épinards

1 oignon haché
1 c à soupe d'huile

240 ml de fromage blanc « Liberty » (fromage « cottage »)
180 ml de fromage râpé (cheddar, par exemple)
2 c à thé de farine de blé entier
1/2 c à thé de sel
1/2 c à thé de graines d'aneth

1 croûte de tarte (voir recette p. 230)

Laver les épinards et les cuire à la vapeur. Égoutter.

Faire rissoler l'oignon dans l'huile.

Mélanger les épinards, le fromage blanc et l'oignon. Ajouter la moitié du fromage râpé. Saupoudrer de farine, saler et assaisonner d'aneth.

Verser cette garniture dans une croûte de tarte non cuite. Gratiner avec le reste du fromage.

Cuire au four à 180°C pendant 30 minutes.

Timbale de courge

(3 portions)

1 courge
1 œuf battu
1 c à thé de sel
1/2 c à thé de sarriette
1 oignon haché
1 ou 2 gousses d'ail émincées

240 ml de fromage râpé

1 croûte de tarte (voir recettes pp. 230 et 231)

Cuire la courge selon l'une ou l'autre des méthodes suivantes :

— couper la courge en deux, en enlever les pépins et la badigeonner d'huile. L'envelopper dans une feuille de papier d'aluminium. Cuire au four à bonne chaleur moyenne environ 45 minutes. Après la cuisson, évider la courge de sa pulpe.

— peler la courge, la couper en gros morceaux et l'épépiner. Placer dans une petite casserole couverte d'une demi-tasse d'eau, couvrir et cuire à ébullition moyenne environ 25 minutes en remuant de temps à autre. Égoutter la courge quand celle-ci est cuite.

Réduire la courge en purée et la mélanger avec l'œuf battu, le sel et la sarriette.

Faire blondir l'oignon et l'ail dans le beurre et les ajouter à la préparation.

Verser cette garniture dans une croûte de tarte et garnir de fromage.

Cuire au four à 190°C pendant 30 minutes.

Tourte aux oignons et au fromage

(4 portions)

2 c à soupe d'huile
600 ml d'oignons hachés

600 ml de fromage râpé (type Cheddar fort)
2 c à soupe de farine de blé entier
1 c à thé de thym
1 c à soupe de sauce soya

1 ou 2 croûtes de tarte* (voir recettes pp. 232 et 233)

Faire rissoler les oignons dans l'huile environ 5 minutes.

Mélanger le fromage, la farine, le thym et la sauce soya.

Étendre les oignons sur la croûte, couvrir de fromage.

Déposer la croûte supérieure. Presser les bords. Pratiquer quelques fentes dans la pâte pour permettre aux vapeurs de s'échapper.

Cuire au four à 180°C pendant 35 minutes.

**Note* : Vous pouvez employer deux croûtes de tarte pour cette recette ou une seule croûte pour le fond. Dans ce dernier cas, parsemez le dessus de la préparation de graines de sésame. Servir avec une salade verte et un légume vert cuit à la vapeur.

Exemples de menus familiaux

Croquettes à l'avoine
Salade verte composée de feuilles de betterave et de moutarde, assaisonnée de la vinaigrette préférée
Carottes cuites à la vapeur ou navets

Carrés aux épinards
Salade de carottes, de raisins secs et de noix
Épis de maïs

Fricot d'hiver (pommes de terre, navets et oignons au four)
Salade de carottes
Petits pois au beurre
Tarte à la rhubarbe et aux framboises

Pâté jardinière (légume en croûte dans une béchamel)
Salade verte nappée de vinaigrette au fromage bleu

Maïs au four
Salade de tomates
Haricots verts frais, cuits à la vapeur
Gâteau aux carottes garni de yoghourt

Soupe aux tomates et légumes
Germes de luzerne nappés de vinaigrette à l'avocat
Croquettes de panais
Assiette de fromages
Pain fait à la maison

Pizza sicilienne
Salade verte assaisonnée de vinaigrette italienne

Menus de fête

Réveillon de Noël

Gaufrettes de seigle tartinées de purée de pois chiches
Velouté de champignons
Pain de luxe aux pacanes, nappé de sauce brune
Salade de betteraves et œufs durs
Salade d'épinards et de germes de luzerne arrosés de vinaigrette italienne
Haricots verts cuits à la vapeur
Tarte aux patates douces

Réveillon du Jour de l'An

Crudités accompagnées de trempette au tahini
Tarte aux oignons et au fromage
Salade verte
Brocoli à la vapeur, sauce hollandaise
Gâteau mascarade (au caroube) et salade de fruits

Menu spécial

Crème de poireaux
Terrine de tofu, sauce tamari
Salade verte arrosée de vinaigrette à l'avocat
Petites carottes au beurre
Pouding aux bananes

Salades

Les salades de crudités doivent composer une partie importante de notre régime alimentaire. Les fruits et les légumes crus contiennent, en effet, beaucoup plus de vitamines que lorsqu'on les a fait cuire, car la cuisson entraîne une perte considérable des éléments nutritifs. Pauvres en calories, les crudités activent les mouvements de l'évacuation gastrique à cause des déchets qu'ils apportent sous forme de cellulose.

La création d'une bonne salade ne demande qu'un peu d'imagination et de simplicité. Cela ne veut pas dire qu'il faut se limiter à la sempiternelle laitue iceberg, mais bien plutôt qu'il n'est pas nécessaire de passer des heures à hacher, couper et émincer des douzaines de légumes. Une combinaison de quelques légumes suffit. Laissez agir votre sens de la création : jouez avec les couleurs, les formes et les saveurs. Faites la découverte de nouveaux légumes. Ainsi, un grand nombre de verdures peuvent remplacer en tout ou en partie la laitue dans une salade. Elles sont nourrissantes, savoureuses et ne coûtent presque rien. Certaines d'entre elles poussent à l'état sauvage ; d'autres poussent très bien dans le potager. Ces verdures ont une saveur prononcée, parfois légèrement amères ; aussi, il vaut mieux n'en consommer que de petites quantités au début, le temps de vous y habituer. Voici une liste partielle de ces verdures :

Plantes potagères	**Plantes sauvages**
feuilles de betterave	feuilles de jeunes pissenlits
chou collard	(plants non fleuris)
chou frisé	cresson de terre
bette à carde	fougère de l'autruche
roquette	(aussi appelée « tête de violon » ;
feuilles de navet	sont comestibles les jeunes
cresson de fontaine	crosses non déroulées)
feuilles de capucine	
épinards crus	
chicorée	

Salade de carottes et de raisins secs

(4 portions)

600 ml de carottes râpées
120 ml de raisins secs
120 ml de noix hachées (facultatif)

60 ml de la « Vinaigrette de Claude » (voir recette p. 192)

Mêler tous les ingrédients. Assaisonner de vinaigrette.

Salade de chou

(6 portions)

720 ml de chou cru coupé en minces languettes
240 ml de carottes râpées
2 branches de céleri hachées menu
1 petit oignon haché menu

60 ml d'huile
3 c à soupe de vinaigre de vin
1/2 c à thé de sel
1 c à thé de graines d'aneth
3 c à thé de miel

Mêler tous les légumes.

Composer la vinaigrette et la mélanger à la salade.

Réfrigérer au moins une demi-heure avant de servir.

Note : Cette salade se conserve très bien au réfrigérateur.

Salade de concombres

(4 portions)

1 concombre de bonne taille
1 oignon

120 ml d'eau froide
½ c à thé de sel
2 c à soupe de vinaigre de cidre

Peler le concombre seulement si celui-ci est recouvert d'une pellicule de cire. Trancher le concombre en rondelles minces.

Trancher l'oignon en rondelles minces et séparer en anneaux.

Mettre les légumes dans un plat de service peu profond.

Mélanger l'eau, le sel et le vinaigre et verser sur les légumes.

Réfrigérer une demi-heure avant de servir.

Variante

À la place de l'eau, employer une infusion refroidie de feuilles d'aneth.

Salade Guacamole à l'avocat

(2 ou 3 portions)

1 avocat mûr
2 c à soupe d'huile d'olive
le jus d'un demi-citron

1 petite tomate mûre hachée finement
3 échalotes hachées finement
la moitié d'un poivron vert ou rouge (doux) haché finement
1/4 c à thé de sel de mer (rectifier selon le goût)
1/8 c à thé de cumin (facultatif)
une pincée de Cayenne (facultatif)

Réduire en purée la pulpe de l'avocat en y ajoutant l'huile et le jus de citron. Ajouter les autres légumes. Assaisonner. Servir sur des feuilles de laitue ou des germes de luzerne.

Note : Cette salade s'harmonise particulièrement bien avec des tortillas garnis d'une préparation de haricots.

Salade de haricots verts

(4 portions)

environ 450 g de haricots verts frais
1 petit oignon haché

2 c à soupe d'huile
1 c à soupe de vinaigre de vin
1 c à thé de moutarde de Dijon
1 ou 2 gousses d'ail pressées
1/2 c à thé de sel
1 c à soupe de menthe fraîche (facultatif)

Laver les haricots, en couper les extrémités et les briser en deux. Cuire à la vapeur quelques minutes pour les attendrir sans qu'ils perdent tout leur croquant. Égoutter. Mettre dans un plat à salade avec les oignons.

Mélanger les ingrédients de la vinaigrette. La verser sur la salade et bien remuer.

Servir encore chaud ou froid.

Salade Val-David

1 petit navet
3 pommes de terre moyennes
180 ml de haricots verts

1 petit oignon émincé
1 branche de céleri émincée

mayonnaise maison
quelques gouttes de vinaigre de vin
une pincée de graines de céleri
une pincée de paprika

Couper en dés le navet, les pommes de terre et les haricots verts. Les faire cuire à la vapeur de sorte qu'ils restent encore légèrement croustillants.

Ajouter l'oignon cru et le céleri émincé. Enrober de mayonnaise maison. Parsemer de quelques gouttes de vinaigre de vin et bien remuer. Assaisonner de graines de céleri et de paprika.

Servir encore chaud ou froid.

Salade de lentilles

(2 portions si la salade compose le plat de résistance du repas)

(4 portions si elle est servie comme salade d'accompagnement)

- 360 ml de lentilles cuites et égouttées (voir mode de cuisson p. 125)
- 4 œufs durs hachés
- la moitié d'un poivron vert haché
- 1 branche de céleri hachée
- 1 petit oignon haché
- 3 c à soupe de mayonnaise maison (voir recette p. 193)
- 2 c à soupe de vinaigre ou de jus de citron

Mélanger avec précaution tous les ingrédients.

Note : Pour que cette salade devienne un repas complet, la servir sur des feuilles de laitue ou de toute autre verdure avec des tranches de pain de blé entier.

Salade de macaronis

(de 4 à 6 portions)

240 ml de macaronis de grain entier non cuits

180 ml de carottes tranchées en rondelles
180 ml de petits pois frais ou congelés
1 branche de céleri hachée
1 petit oignon haché
— ou —
5 échalotes hachées
60 ml de persil frais haché
60 ml de mayonnaise maison (voir recette p. 193)

180 ml de fromage cheddar fort taillé en cubes

Cuire les macaronis « al dente ». Les égoutter et les rincer à l'eau froide.

Cuire les carottes à la vapeur : à point, elles seront tendres mais retiendront une petite pointe de croquant sous la dent. À mi-cuisson, ajouter les petits pois. Laisser refroidir.

Mêler les macaronis, les légumes cuits et les légumes crus. Ajouter les cubes de fromage. Saler. Remuer la salade en incorporant la sauce mayonnaise.

Dresser sur des feuilles de laitue.

Salade Mimosa

(4 portions)

6 œufs durs hachés
1 petit oignon haché menu
la moitié d'un poivron vert haché menu
1 branche de céleri, feuilles comprises, hachée menu

80 ml de mayonnaise maison (voir recette p. 193)
2 ou 3 c à soupe de sauce soya
160 ml de germe de blé rôti

Mélanger tous les ingrédients et dresser sur des feuilles de laitue ou des germes de luzerne.

Servie de cette façon, la salade Mimosa est un repas complet.

Variante

Une variante plus simple mais tout aussi délicieuse de cette salade consiste à réduire la quantité de mayonnaise à 60 ml et à omettre la sauce soya et le germe de blé.

Salade de Pâques

(6 portions)

8 betteraves de taille moyenne cuites et tranchées
6 œufs durs

480 ml de l'eau de cuisson des betteraves
60 ml de vinaigre de cidre
2 c à soupe de miel
1 c à thé de sel

Composer la marinade en mélangeant l'eau de cuisson, le vinaigre et le miel. Saler.

Déposer les betteraves et les œufs dans un grand bocal de verre et y verser la marinade.

Fermer hermétiquement et laisser mariner au moins deux jours.

Dresser les betteraves et les œufs coupés en deux dans un grand plat de service tapissé de feuilles de laitue ou de germes de luzerne. Garnir de touffes de persil frais.

Une salade très colorée et décorative qui mettra une note de fantaisie sur la table. L'effet de surprise causé par la belle couleur rose violacé des œufs est infaillible !

Radis Pearl Buck

(4 portions)

environ 10 radis tranchés en rondelles très minces

2 c à soupe d'huile
2 c à soupe de sauce soya
2 c à soupe de jus de citron
1 c à soupe d'eau

Mélanger les ingrédients de la sauce. Verser sur les radis dans un plat de service peu profond. Réfrigérer une demi-heure.

L'idée de cette recette provient d'un livre de Pearl Buck. Même ceux qui ne raffolent pas des radis aimeront peut-être cette recette car la sauce atténue le goût piquant des radis.

Salade de riz

(pour 4 personnes)

360 ml de riz brun cuit (voir mode de cuisson p. 126)
160 ml de petits pois frais ou congelés
1 petit oignon haché finement
60 ml de persil frais
60 ml de mayonnaise maison (voir recette p. 195)

Cuire les petits pois à la vapeur. Égoutter.

Mélanger tous les ingrédients. Servir sur de la laitue fraîche.

Note : Pour que ce plat devienne une source de protéines complètes, ajoutez-y du fromage taillé en cubes ou des œufs durs.

Salade de riz et de haricots

(de 4 à 6 portions)

360 ml de riz brun cuit (voir mode de cuisson p. 126)
360 ml de haricots cuits (voir mode de cuisson p. 124)
1 petit oignon vert émincé
1 poivron vert émincé
1 tomate de bonne taille coupée en petits morceaux
60 ml de persil haché
1 ou 2 gousses d'ail écrasées
60 ml d'huile d'olive
3 c à soupe de jus de citron
1/4 c à thé de sarriette
1 c à soupe de miel

Mélanger tous les ingrédients. Réfrigérer.

Servir sur des feuilles de laitue et garnir de touffes de persil frais et de quartiers de tomates.

Note : Dressée sur des feuilles de laitue, cette salade constitue un repas complet qui contient vitamines et protéines nécessaires.

Taboulah

(4 portions)

180 ml de blé boulghour
240 ml d'eau bouillante

2 tomates hachées
60 ml d'échalotes hachées, partie verte y comprise
240 ml de persil frais
60 ml de menthe fraîche hachée
— ou —
2 c à thé de menthe séchée
le jus de deux citrons
120 ml d'huile
1 gousse d'ail émincée
1 c à thé de sel

Verser l'eau bouillante sur le blé. Couvrir et laisser reposer pendant 30 minutes. Pendant ce temps, trancher les légumes.

Mêler tous les autres ingrédients au blé cuit. Bien touiller la salade. Réfrigérer une demi-heure avant de servir.

Dresser dans un légumier sur des feuilles de laitue.

Variante

À défaut de blé boulghour, on peut employer des pousses fraîches de blé germé.

Salade de tomates

(4 portions)

3 grosses tomates
1 petit poivron vert
1 branche de céleri
4 ou 5 échalotes

Hacher tous les légumes.

Enrober de la « vinaigrette italienne » (voir recette p. 194).

Sauces

La cuisine végétarienne ne se prive pas de l'apport précieux des sauces chaudes ou froides, bien qu'elle n'en fasse pas un usage excessif comme c'est le cas dans la cuisine française dite gastronomique. On peut tout aussi bien préparer les grandes sauces chaudes classiques comme la béchamel ou la hollandaise en employant des aliments naturels, c'est-à-dire en substituant de la farine de blé entier à la farine blanche, une huile végétale au beurre et des œufs organiques aux œufs produits de façon industrielle. Dans la mesure du possible, il faut tendre à restreindre la quantité de matière grasse employée : certaines sauces énumérées dans la présente section ne contiennent aucune matière grasse. Pour lier vos sauces et leur donner une texture onctueuse, employez de l'arrow-root, une fécule alimentaire naturelle.

Ce serait un sacrilège de déverser sur votre salade de légumes frais et croustillants ce cocktail d'huile hydrogénée, de colorants et de saveurs artificielles que sont les vinaigrettes vendues dans le commerce, alors qu'il est si simple d'en préparer une soi-même. La véritable huile d'olive pressée à froid a une saveur insurpassable dans les vinaigrettes, mais on peut aussi l'employer seule sur les légumes verts cuits ou crus. Pour aciduler une sauce vinaigrette, employez le vinaigre de cidre non pasteurisé ou mieux encore du jus de citron fraîchement extrait. Il est possible de préparer à l'avance une certaine quantité de vinaigrette et de la conserver au réfrigérateur, dans un bocal de vitre bien fermé. Plus orthodoxe et plus spectaculaire aussi est la façon française de « touiller » la salade : on met les légumes et les verdures dans le saladier, puis en commençant par l'huile d'olive, on verse un à un les ingrédients de la sauce, en prenant soin de bien remuer la salade après chaque addition. De cette façon, les légumes gardent tout leur croustillant et sont enrobés de la vinaigrette plutôt que d'y être noyés.

Sauce béchamel

(1 tasse)

2 c à soupe d'huile
3 c à soupe de farine de blé entier
240 ml de lait
1/2 c à thé de sel

Chauffer légèrement l'huile. Saupoudrer la farine, et bien mélanger.

Verser peu à peu le lait en brassant énergiquement, d'abord à la cuillère de bois, puis au fouet.

Cuire à feu doux en remuant constamment, jusqu'à ce que la sauce épaississe.

Saler et assaisonner.

Note : La sauce béchamel classique est aromatisée d'une pincée de muscade, mais on peut également employer de la moutarde sèche (1/2 c à thé) ou de la moutarde de Dijon (1 c à thé), une pincée de persil frais ou séché, du piment de Cayenne, du paprika, des échalotes, de la ciboulette, quelques gouttes de jus de citron, de la marjolaine, et j'en passe et des meilleures...

Sauce aux champignons

(1 tasse)

Mêmes ingrédients que pour la béchamel (voir recette p. 187). Ajouter 120 ml de champignons tranchés.

Avant d'ajouter la farine à l'huile, y faire revenir les champignons quelques instants.

Procéder ensuite de la même façon que pour la béchamel.

Sauce brune

(donne 240 ml de sauce)

2 c à soupe d'huile
2 c à soupe de farine de blé entier

240 ml d'eau ou de bouillon de légumes
2 ou 3 c à soupe de sauce soya

Mêler l'huile et la farine dans une petite casserole et remuer sans arrêt à feu doux jusqu'à ce que la farine soit devenue brune.

Laisser refroidir quelques instants.

Remettre à feu doux et, toujours en brassant, incorporer progressivement l'eau. Continuer de remuer pendant que la sauce épaissit.

Assaisonner de sauce soya selon le goût.

Note : Cette sauce accompagne bien les pains de noix ou de céréales, ou les croquettes végétariennes.

Sauce Calcutta

(sauce aigre-douce)

(donne 240 ml de sauce)

2 c à soupe d'huile
120 ml de carottes finement râpées

240 ml de jus de tomate
1 c à soupe de miel
1 c à soupe de vinaigre
1 c à soupe de sauce soya
1/4 c à thé de sel

1 1/2 c à thé d'arrow-root
120 ml d'eau froide

Faire rissoler les carottes dans l'huile environ 5 minutes.

Verser le jus de tomate, le miel et la sauce soya. Aciduler de vinaigre et saler. Laisser mijoter 10 minutes en remuant fréquemment.

Dissoudre l'arrow-root dans l'eau et l'incorporer à la sauce.

Laisser le tout mijoter en remuant au fouet jusqu'à ce que la sauce ait une consistance lisse et onctueuse.

Suggestions

Cette sauce à la saveur aigre-douce se marie bien aux plats de lentilles ou de quelque autre légume sec : mettez sur la table du pain fait à la maison et une salade verte, et vous avez un repas complet. Voir aussi les recettes de « Chou à l'orientale » (p. 101) et de « Céleri aigre-doux » (p. 99).

Sauce hollandaise

3 jaunes d'œufs
1/2 c à thé comble de moutarde sèche
1/2 c à thé de sel

1 c à soupe de jus de citron

80 ml d'huile de tournesol

Dans une petite casserole hors du feu, remuer au fouet les jaunes d'œufs salés et assaisonnés de la moutarde sèche, jusqu'à ce que le liquide soit bien lisse.

Ajouter le jus de citron en continuant de fouetter.

Placer la casserole au-dessus d'une petite marmite remplie d'eau bouillante, et verser l'huile en filet, en remuant au fouet entre les additions, jusqu'à ce que la sauce soit chaude et qu'elle ait la consistance désirée. Si la sauce est trop épaisse, l'éclaircir progressivement avec quelques gouttes de lait, toujours au bain-marie.

Servir sur des asperges, des épinards ou du brocoli cuits.

Sauce au fromage

(donne 360 ml de sauce)

240 ml de lait

360 ml de fromage râpé
2 c à soupe de farine de blé entier
une pincée de sel
herbes aromatiques (facultatif)

Faire frémir le lait.

Mélanger la farine et le fromage. Incorporer lentement ce mélange au lait et chauffer à feu moyen en remuant jusqu'à ce que le fromage ait fondu. Saler. Rectifier l'assaisonnement suivant le goût avec des herbes aromatiques.

Sauce au tamari

(donne 240 ml de sauce)

240 ml de bouillon de légumes ou d'eau
1 c à thé de miel

60 ml de tamari
1 c à soupe d'arrow-root

Chauffer doucement le bouillon de légumes et le miel.

Dissoudre l'arrow-root dans le tamari en remuant avec une fourchette. Verser dans le bouillon de légume.

Cuire à feu moyen en remuant constamment jusqu'à ce que la sauce ait une consistance onctueuse.

Servir sur des plats de céréales, des pains de noix, des légumes cuits à la chinoise, etc.

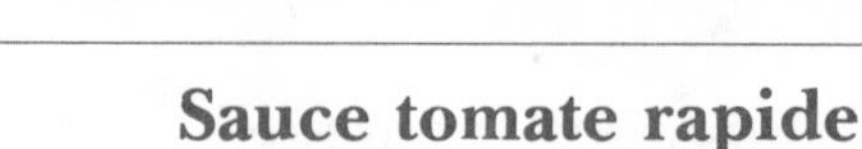

Sauce tomate rapide

(donne 960 ml de sauce)

2 c à soupe d'huile
1 gros oignon haché
de 1 à 3 gousses d'ail émincées
1 poivron vert haché (facultatif)
360 ml de champignons tranchés (facultatif)

1 boîte de 560 ml de tomates entières
1 boîte de 156 ml de purée de tomates

1/2 c à thé de sel
1 c à thé de basilic
1 c à soupe de miel

Faire rissoler les légumes et l'ail pour qu'ils soient bien tendres. (Utiliser de préférence une grosse poêle.)

Verser les tomates et la purée. Saler et assaisonner.

Laisser mijoter pendant 5 minutes.

Note : Ne jamais oublier la règle d'or : toujours lire les étiquettes des produits. On trouve aisément des tomates en boîte auxquelles on n'a pas additionné d'agents de conservation artificiels.

Vinaigrette à l'avocat

(donne 360 ml de vinaigrette)

1 avocat mûr

120 ml d'huile
le jus d'un citron
½ c à thé de sel

Peler l'avocat, le dénoyauter et l'évider.

Réduire la pulpe en purée à l'aide d'un pilon à pommes de terre.

Mélanger aux autres ingrédients en remuant à la fourchette.

— ou —

Mettre la pulpe et les autres ingrédients dans le mélangeur et battre quelques instants.

Note : À essayer absolument sur des germes de luzerne et des tomates !

Sauce citronnée

(de 4 à 6 personnes)

le jus de 2 citrons
2 c à soupe d'huile d'olive
½ c à thé de sel

Mélanger les ingrédients.

Note : Cette sauce a été créée pour accompagner les artichauts, mais elle convient à tous les légumes verts tels les épinards, les asperges, le brocoli, les verdures sauvages : pissenlits, têtes de violon, etc.

Vinaigrette César

(donne 250 ml de vinaigrette)

240 ml d'huile d'olive
3 c à soupe de vinaigre de vin
le jus d'un demi-citron
1 c à thé de sel
3 gousses d'ail pressées
1 jaune d'œuf

Bien mélanger tous les ingrédients.

Servir sur de la laitue romaine accompagnée d'œufs durs, de câpres et de quartiers de tomates.

Vinaigrette de Claude

(donne 400 ml de vinaigrette)

240 ml d'huile d'olive
60 ml de vinaigre de cidre
1 c à soupe de moutarde de Dijon
60 ml de sirop d'érable
1 c à soupe de purée de tomates
2 gousses d'ail pressées
1/2 c à thé de sel

Mélanger tous les ingrédients.

Conserver dans un bocal de verre bien fermé.

Mayonnaise maison

(donne 240 ml de mayonnaise)

- 1 œuf
- 2 c à soupe de jus de citron ou de vinaigre de cidre
- 1/2 c à thé de sel
- 1/2 c à thé de moutarde sèche
- 1 c à thé de miel (facultatif)
- 240 ml d'huile de tournesol

Battre à petite vitesse dans le mélangeur l'œuf, le jus de citron, le sel, la moutarde, le miel et 60 ml d'huile.

Quand le mélange est homogène, enlever le bouchon mesureur du mélangeur et, toujours à faible vitesse, verser l'huile en filet mince, le plus régulièrement possible. (C'est cette opération qui assure le velouté et la tenue de la mayonnaise. Il est très important de verser l'huile en filet mince et non de grosses quantités à la fois.)

Conserver au réfrigérateur.

Vinaigrette italienne

(donne 240 ml de vinaigrette)

180 ml d'huile d'olive ou de tournesol
60 ml de vinaigre de vin de bonne qualité
1/2 c à thé de sel
1 c à thé de basilic séché (1 c à soupe de basilic frais)
2 gousses d'ail pressées
1/2 c à thé de graines de céleri
1/2 c à thé de varech (facultatif)
1 c à soupe de miel

Mettre tous les ingrédients dans un bocal de vitre et bien agiter.

Note : Il n'est pas indispensable d'ajouter du varech à cette recette mais cette algue est si riche en minéraux, particulièrement en iode, que c'est une bonne habitude de l'utiliser.

Vinaigrette au roquefort

60 ml de fromage roquefort émietté
80 ml de mayonnaise maison (voir recette p. 195)
80 ml d'huile d'olive

Mélanger vigoureusement le fromage et la mayonnaise.

Sans cesser de brasser, incorporer peu à peu l'huile.

Sauce au tahini

(donne 160 ml de sauce)

60 ml de tahini
4 c à soupe d'eau
2 c à soupe de jus de citron
1 ou 2 gousses d'ail pressées
1/2 c à thé de sel

Une cuillerée à soupe à la fois, verser l'eau puis le jus de citron sur le tahini en remuant à la fourchette.

Ajouter l'ail et saler.

Servir sur des pois chiches, la salade « Taboulah » (voir recette p. 180), des avocats, de la laitue ou des céréales cuites.

Desserts

Un dessert devrait être considéré comme une petite gâterie occasionnelle et non comme la conclusion obligatoire de tout repas. Le manque de protéines peut provoquer un goût marqué pour les sucreries. Si vous mangez un bon repas équilibré fournissant protéines, vitamines, sels minéraux et eau, vous sentirez moins le besoin de manger un dessert à la fin. Ceci dit, que les « becs sucrés » n'aient crainte ! La cuisine végétarienne se prête à une abondance de desserts variés : gâteaux, tartes, poudings, biscuits, confitures, etc.

Si vous faites vos débuts en cuisine végétarienne, commencez tout d'abord par substituer de la farine de blé entier à la farine blanche et du miel (ou du sirop d'érable à l'occasion) au sucre blanc. Le sucre blanc est le grand ennemi de la santé. Il est une des principales causes de carie dentaire et il peut réduire la résistance de l'organisme face aux infections. Mieux vaut donc éviter complètement le sucre, qu'il soit blanc ou brun et utiliser à la place des édulcorants naturels comme le miel, les fruits secs (dattes ou raisins) et le sirop d'érable. Rappelez-vous que pour 240 ml (1 tasse) de sucre, on emploie 180 ml (3/4 tasse) de miel.

Biscuits d'avoine

(3 douzaines)

180 ml de farine de blé entier mou
360 ml de germe de blé cru
120 ml de lait en poudre
480 ml de flocons d'avoine (gruau)
1 c à thé de sel

180 ml d'huile
300 ml de mélasse (la mélasse « Blackstrap » est la plus nutritive)
2 œufs
2 c à thé de vanille

240 ml de raisins secs (facultatif)
— ou —
120 ml de noix hachées et 120 ml de raisins secs (facultatif)

Mêler les ingrédients secs, sauf les noix et les raisins.

Bien mélanger les ingrédients liquides.

Incorporer progressivement les ingrédients secs au mélange liquide et ajouter si désiré les noix et les raisins.

Cuire au four à 180°C de 10 à 12 minutes.

Biscuits à l'érable et aux noix

(environ 3 douzaines)

120 ml de beurre ou de margarine
180 ml de sirop d'érable

480 ml de farine de blé entier mou
1/2 c à thé de sel
1/2 c à thé de levure à pâtisserie (« poudre à pâte »)

1 c à thé de vanille
120 ml de noix hachées

Battre en crème la margarine et le sirop.

Tamiser la farine avec les autres ingrédients secs.

Incorporer les ingrédients secs aux ingrédients liquides, puis ajouter la vanille et les noix.

Cueillir des cuillerées à soupe de pâte et les déposer une à la fois sur une plaque à biscuits bien huilée ; aplatir le dessus de chaque cuillerée de pâte avec une fourchette mouillée.

Cuire au four à 180°C de 10 à 15 minutes.

Biscuits au germe de blé

(3 douzaines)

180 ml de miel
120 ml d'huile
1 jaune d'œuf
3 c à soupe de lait
1 c à thé de vanille
1/2 c à thé de sel
240 ml de germe de blé

120 ml de farine de soya
480 ml de farine de blé entier mou

noix hachées ou pacanes coupées en deux

Battre en crème le miel, l'huile, le jaune d'œuf, le lait, la vanille et le sel. Incorporer le germe de blé.

Tamiser les deux farines et les ajouter à la préparation. Vous obtiendrez alors une pâte épaisse et compacte. Placer la pâte sur une feuille de papier ciré et la rouler avec les paumes de la main en forme de cylindre.

Mettre au réfrigérateur pendant cinq ou six heures ou toute une nuit.

Trancher en rondelles minces et insérer une noix au milieu.

Cuire au four à 180°C de 8 à 10 minutes.

Biscuits Graham

(donne environ 2 douzaines)

120 ml de margarine
180 ml de sirop d'érable
480 ml de farine Graham
— ou —
240 ml de farine de blé entier mou *et*
240 ml de farine de blé entier dur

1/2 c à thé de sel
1/2 c à thé de levure à pâtisserie (« poudre à pâte »)
1/2 c à thé de cannelle

Lier la margarine et le sirop d'érable à l'aide d'un batteur à œufs.

Tamiser la farine avec le sel, la poudre à pâte et la cannelle. Incorporer peu à peu les ingrédients secs aux ingrédients liquides en battant à la cuillère de bois. Réfrigérer cette pâte pendant une demi-heure.

Avec un rouleau à pâtisserie, abaisser la pâte entre deux feuilles de papier ciré en lui donnant une forme rectangulaire.

Retirer délicatement le papier du dessus et tailler les côtés du rectangle de pâte pour qu'ils soient droits. Renverser le rectangle de pâte sur une plaque à biscuits bien huilée. Le papier ciré qui reste devra ainsi se trouver sur le dessus.

Retirer la seconde feuille de papier ciré. Tailler la pâte selon la forme désirée (carrés, resctangles, etc.). Piquer chaque biscuit avec une fourchette.

Cuire au four à 180°C pendant 10 minutes ou jusqu'à ce que les biscuits soient dorés.

Note : Surveillez attentivement la cuisson pour éviter que les biscuits ne brûlent. Comme ils cuisent généralement plus vite que les autres, il se peut que vous ayez à retirer plus tôt du four les biscuits situés sur les côtés.

Biscuits à la noix de coco

(environ 28 biscuits)

600 ml de noix de coco non sucrée
80 ml d'huile
160 ml de miel
3 œufs
1 c à thé de vanille

240 ml de farine de blé entier mou
1 c à thé de levure à pâtisserie (« poudre à pâte »)
une pincée de sel

Mettre en crème les ingrédients liquides.

Mêler les ingrédients secs.

Incorporer les ingrédients secs aux ingrédients liquides. Bien mélanger.

Déposer de grosses cuillerées de pâte sur une plaque à biscuits badigeonnée d'huile. (Espacer suffisamment les ronds de pâte pour qu'ils ne se touchent pas en gonflant pendant la cuisson.)

Cuire au four à 180° C de 10 à 12 minutes, ou jusqu'à ce que les biscuits soient dorés.

Carrés de pruneaux

(1 douzaine de carrés)

240 ml de pruneaux dénoyautés

80 ml d'huile
160 ml de miel
2 œufs
1 c à thé de zeste de citron

240 ml de farine de blé entier mou
1/2 c à thé de sel
1/2 c à thé de levure à pâtisserie (« poudre à pâte »)
120 ml de noix de Grenoble hachées

Hacher les pruneaux en petits morceaux.

Battre en crème l'huile, le miel, les œufs et le zeste.

Mêler la farine, le sel, la levure à pâtisserie et incorporer au mélange liquide en battant à la cuillère de bois.

Incorporer les pruneaux et les noix.

Verser cette pâte dans un moule carré badigeonné d'huile.

Cuire à 160°C de 30 à 35 minutes.

Laisser refroidir dans le moule et couper en carrés.

Bouchées de tournesol

(environ 18 bouchées)

360 ml de graines de tournesol crues et non salées

120 ml de miel
1 c à thé de vanille
120 ml de germe de blé rôti

germe de blé supplémentaire pour enrober les friandises

Moudre dans le mélangeur 240 ml de graines de tournesol. Dans une poêle non huilée chauffée à feu vif, griller légèrement le reste des graines en remuant constamment.

Incorporer aux graines de tournesol moulues et grillées le reste des ingrédients.

Façonner le mélange en petites boules de la grosseur d'une noix, puis les rouler dans le germe de blé.

Conserver au réfrigérateur dans un récipient fermé.

Note : Mouillez vos mains à l'eau froide avant de former les bouchées : le mélange ne vous collera pas aux doigts.

Délices au germe de blé

(26 friandises de la grosseur d'une noisette)

180 ml de miel ou de mélasse
180 ml de beurre d'arachides
240 ml de raisins secs
120 ml de graines de tournesol
60 ml de graines de sésame
60 ml de lait en poudre non instantané
de 180 à 240 ml de germe de blé rôti

germe de blé supplémentaire pour enrober les friandises

Mélanger tous les ingrédients dans l'ordre donné. Incorporer le germe de blé jusqu'à ce que la préparation soit très consistante sans toutefois être trop collante. Mélanger avec les mains si nécessaire.

Façonner de petites boules de la grosseur d'une noisette et les enrober de germe de blé.

Conserver au réfrigérateur, dans un récipient fermé.

Note : Les ingrédients qui la composent font de cette friandise un aliment très énergétique. Emportez-en quelques-unes dans votre sac à dos quand vous partez pour une grande randonnée de ski de fond : vous aurez plus d'énergie dans les derniers milles !

Fudge au caroube

(2 douzaines de carrés de 2.5 cm)

3 c à soupe de beurre
160 ml de miel
1 c à thé de vanille

80 ml de poudre de caroube
240 ml de lait en poudre
60 ml de noix hachées ou de noix de coco

noix hachées ou noix de coco supplémentaires pour garnir les carrés

Faire doucement fondre le beurre. Y ajouter le miel et la vanille en remuant.

Mêler le caroube et le lait en poudre. Tamiser s'il y a lieu.

Incorporer les ingrédients secs aux ingrédients liquides et remuer à l'aide d'une cuillère de bois. Le mélange sera très épais. Incorporer les noix hachées ou la noix de coco râpée.

Presser la préparation dans un petit moule carré bien beurré. Saupoudrer de noix de coco ou de noix hachées en guise de garniture.

Mettre au réfrigérateur pendant au moins 1 heure. Couper en carrés.

Conserver au réfrigérateur dans un récipient fermé.

Gâteau à l'avoine de Martine

240 ml de flocons d'avoine (gruau)
300 ml d'eau bouillante

120 ml d'huile
180 ml de miel ou de mélasse
2 œufs

320 ml de farine de blé entier mou
1 1/2 c à thé de levure à pâtisserie (« poudre à pâte »)
1/2 c à thé de soda
1/2 c à thé de sel
1 c à thé de cannelle

Verser l'eau bouillante sur les flocons d'avoine et les laisser cuire ainsi de 10 à 15 minutes hors du feu.

Mettre en crème le miel et l'huile. Incorporer les œufs un à la fois en battant vigoureusement.

Tamiser la farine avec les autres ingrédients secs.

Incorporer l'avoine au mélange liquide. Remuer, puis mêler graduellement les ingrédients secs à cette préparation liquide en tournant avec la cuillère de bois.

Verser cette pâte dans un moule à gâteau badigeonné d'huile à l'intérieur.

Cuire au four à 180°C pendant 35 minutes.

Gâteau coco

garniture

480 ml de noix de coco fraîchement râpée
80 ml d'huile
120 ml de sirop d'érable

pâte

120 ml de sirop d'érable
2 c à soupe d'huile
2 œufs
60 ml de lait de coco

360 ml de farine de blé entier mou
3 c à thé de levure à pâtisserie (« poudre à pâte »)
1/2 c à thé de sel

Mélanger la noix de coco, l'huile et le sirop d'érable et étendre cette préparation en une couche uniforme dans une poêle en fonte aux rebords élevés.

Battre en crème le sirop d'érable, l'huile, les œufs et le lait de coco.

Tamiser la farine avec les autres ingrédients secs et les incorporer aux ingrédients liquides.

Verser la pâte sur la garniture de noix de coco.

Cuire au four à 180°C de 25 à 30 minutes ou jusqu'à ce que la pâte rebondisse lorsqu'on y presse légèrement le doigt.

Décoller les bords à l'aide d'un couteau et renverser le gâteau sur un plat de service.

Pain d'épices de Stéphane

240 ml de mélasse
120 ml de beurre

560 ml de farine de blé entier à pâtisserie
1/4 c à thé de soda
2 c à thé de levure à pâtisserie « poudre à pâte »
1 c à thé de gingembre
2 c à thé de cannelle
3/4 c à thé de clous de girofle moulus
1/2 c à thé de toute-épice
240 ml de yoghourt

Faire chauffer la mélasse avec le beurre jusqu'à ébullition. Verser le mélange dans un grand bol et laisser tiédir.

Tamiser la farine avec tous les ingrédients secs.

Verser le yoghourt sur le mélange de mélasse et tourner à la cuillère de bois ; incorporer ensuite les ingrédients secs.

Verser la pâte dans un moule carré de 23 cm et cuire au four à 180°C de 30 à 40 minutes.

Gâteau à la compote de pommes de Kat

420 ml de farine de blé entier mou
1 c à thé de soda
3 c à thé de levure à pâtisserie (« poudre à pâte »)
1/2 c à thé de sel
1 c à thé de cannelle
1/2 c à thé de clous de girofle moulus

240 ml de compote de pommes maison (voir recette p. 221)
120 ml d'huile
180 ml de miel
2 œufs

120 ml de raisins secs
120 ml de noix hachées

Tamiser la farine avec le soda, la levure à pâtisserie, le sel et les épices.

Mélanger la compote de pommes, l'huile, le miel et les œufs.

Incorporer les ingrédients secs aux ingrédients liquides en battant à la cuillère de bois.

Ajouter les raisins secs et les noix.

Cuire au four à 180°C pendant 40 minutes.

Gâteau grand classique

(aux carottes, évidemment...)

360 ml de farine de blé entier
1 c à thé de levure à pâtisserie (« poudre à pâte »)
3/4 c à thé de soda
1 c à thé de cannelle
1/2 c à thé de sel

160 ml d'huile
180 ml de miel
2 œufs
240 ml de carottes râpées
120 ml de raisins secs ou de noix hachées

Tamiser ensemble la farine, la levure à pâtisserie, le soda, la cannelle et le sel.

Dans un grand bol, mettre en crème l'huile et le miel. Incorporer les œufs un à la fois, en battant après chaque addition.

Incorporer les ingrédients secs au mélange liquide en remuant délicatement. (Éviter de trop remuer le mélange.) Incorporer avec les mêmes soins les carottes et les raisins secs ou les noix.

Verser dans un moule rectangulaire préalablement beurré, ou un moule à gâteau carré.

Cuire au four à 180°C de 30 à 35 minutes ou jusqu'à ce qu'un cure-dents inséré au milieu de la pâtisserie en ressorte propre.

Gâteau Granola

pâte

480 ml de farine de blé entier mou
2 c à thé de levure à pâtisserie (« poudre à pâte »)
1 c à thé de sel

80 ml d'huile
160 ml de miel
2 œufs

120 ml de lait de beurre
1/2 c à thé de soda

garniture

6 c à soupe d'huile
120 ml de miel
60 ml de graines de sésame
120 ml de graines de tournesol
120 ml de flocons d'avoine
1 1/2 c à thé de cannelle
120 ml de raisins secs

Dans une poêle à frire de 23 cm de diamètre aux rebords élevés, mélanger tous les ingrédients de la garniture. Étendre uniformément et garnir de raisins secs.

Tamiser la farine avec la levure à pâtisserie et le sel.

Incorporer l'huile, le miel et les œufs.

Dans un autre bol, mélanger le lait de beurre et le soda ; incorporer à la préparation. Bien mélanger. Verser sur la garniture.

Cuire au four à 180°C pendant 35 minutes.

Quand le gâteau est cuit, passer un couteau le long du gâteau pour décoller la pâte. Renverser la pâtisserie sur un plat de service.

Servir froid ou chaud.

Gâteau de maïs à l'orange

360 ml de farine de blé entier mou
3 c à thé de levure à pâtisserie (« poudre à pâte »)
1/2 c à thé de sel
240 ml de semoule de maïs
2 c à thé de zeste d'orange

180 ml d'huile
160 ml de miel
2 œufs
120 ml de jus d'orange

Tamiser la farine avec les autres ingrédients secs et le zeste d'orange.

Battre en crème l'huile et le miel puis les œufs un à un et enfin le jus d'orange.

Incorporer les ingrédients secs aux ingrédients liquides. Cesser de battre dès que les ingrédients semblent bien liés.

Verser cette pâte dans un moule à gâteau carré ou rectangulaire bien enduit d'huile.

Cuire au four à 180°C pendant 30 minutes.

Servir avec la « Sauce à l'orange » (voir recette p. 220).

Gâteau mascarade

360 ml de farine de blé entier mou
3 c à thé de levure à pâtisserie (« poudre à pâte »)
$^{1}/_{2}$ c à thé de sel
120 ml de poudre de caroube

80 ml d'huile
160 ml de miel
3 œufs
120 ml de lait
120 ml de noix hachées

Tamiser la farine avec la levure à pâtisserie, le sel et le caroube.

Mettre en crème l'huile et le miel. Incorporer les œufs un à un en battant le mélange à la cuillère de bois. Verser le lait en battant toujours.

Mélanger les ingrédients secs aux ingrédients liquides en battant à la cuillère de bois. Ne pas trop battre.

Ajouter les noix.

Verser le mélange dans un moule rectangulaire préalablement huilé. Cuire au four à 180°C pendant 25 minutes.

Note : Le « gâteau mascarade » ressemble à s'y méprendre au bon vieux gâteau au chocolat... les agents de conservation chimiques en moins. À faire goûter aux inconditionnels du chocolat et à tous les becs sucrés de votre entourage !

Pain aux bananes

180 ml de miel
120 ml de beurre ou de margarine
2 œufs
4 c à soupe de lait de beurre

360 ml de farine de blé entier mou
1 c à thé de levure à pâtisserie (« poudre à pâte »)
1 c à thé de soda
1/8 c à thé de sel

3 bananes mûres

Battre en crème le miel et le beurre, puis les œufs un à un et enfin le lait de beurre.

Tamiser la farine avec la levure à pâtisserie, le soda et le sel.

Écraser les bananes avec une fourchette ou un pilon à pommes de terre.

Incorporer les ingrédients secs aux ingrédients liquides en remuant, puis incorporer la purée de bananes.

Verser dans un moule à pain badigeonné d'huile à l'intérieur.

Cuire au four à 180°C de 35 à 45 minutes environ ou jusqu'à ce qu'un cure-dents inséré dans la pâte en ressorte propre.

Glaçage au caroube

(pour un gâteau)

2 c à soupe de beurre
80 ml de miel
1 c à thé de vanille

120 ml de lait en poudre non instantané
3 c à soupe de poudre de caroube
1 c à soupe de lait

Faire fondre le beurre. Mélanger avec le miel et la vanille. Brasser jusqu'à ce que les ingrédients soient liés.

Tamiser le lait en poudre avec le caroube.

Mélanger les ingrédients secs aux ingrédients liquides.

Ajouter la cuillerée à soupe de lait en brassant toujours.

Note : Cette garniture ressemble à s'y méprendre à un glaçage au chocolat.
N'oubliez pas de laisser le gâteau refroidir pendant au moins 20 minutes avant d'étendre le glaçage.

Glaçage au miel

120 ml de beurre ou de margarine

180 ml de miel
1 c à thé de vanille

240 ml de lait en poudre

Faire doucement fondre le beurre.

Hors du feu, ajouter le miel et la vanille et laisser refroidir pendant 5 minutes.

Battre progressivement le lait en poudre avec cette préparation, jusqu'à ce que le mélange ait la consistance veloutée désirée.

Note : Ce glaçage est plus facile à confectionner avec du lait en poudre écrémé instantané. En variant la quantité de lait en poudre, vous pouvez modifier la consistance du glaçage.

Sauce à l'orange

(pour les desserts)

(donne 400 ml de sauce)

240 ml de jus d'orange
60 ml de miel

80 ml d'eau froide
1 c à soupe d'arrow-root

Chauffer doucement le jus d'orange et le miel.

Dissoudre l'arrow-root dans l'eau et verser sur le jus d'orange.

Porter à ébullition puis ramener à feu doux et laisser mijoter en remuant avec le fouet jusqu'à ce que la sauce ait épaissi, ce qui prend environ 5 minutes.

Servir sur le gâteau de maïs à l'orange, sur des poudings ou d'autres pâtisseries.

variante :

Sauce à l'ananas

Remplacer le jus d'orange par du jus d'ananas.

Compote de pommes

(6 tasses)

environ 2 kg de pommes à cuire
60 ml d'eau
120 ml de miel

Laver les pommes et les équeuter. Les couper en quartiers, sans enlever le cœur ni la peau.

Mettre les pommes dans une grande marmite, verser l'eau, couvrir et cuire à feu moyen environ 20 minutes ou jusqu'à ce que les pommes soient tendres. Remuer de temps en temps.

Passer les pommes dans un tamis. Sucrer avec le miel en remuant bien.

Croûte aux pommes

(6 portions)

420 ml de lait
720 ml de cubes de pain de grain entier
180 ml de pommes séchées hachées
120 ml de raisins secs
80 ml de miel
2 c à soupe de mélasse
1 c à thé de cannelle
une grosse pincée de clous de girofle moulus
3 œufs, jaunes et blancs séparés

Réchauffer le lait. Incorporer tous les ingrédients, sauf les œufs. Laisser reposer pendant 30 minutes.

Battre les jaunes d'œufs et les incorporer au mélange.

Battre les blancs d'œufs en neige. Incorporer délicatement au mélange en soulevant celui-ci plutôt qu'en le remuant. (Cette opération assure au plat une consistance légère.)

Verser la préparation dans un moule bien huilé. Cuire au four à 180°C pendant 15 minutes, puis réduire à 160° et cuire encore 30 minutes.

Mousse à l'avocat

(4 portions)

2 petits avocats mûrs
60 ml de lait
80 ml de miel
le jus d'un demi-citron

Trancher les avocats en deux, enlever le noyau et retirer la pulpe.

Battre tous les ingrédients dans le mélangeur jusqu'à l'obtention d'une crème onctueuse.

Réfrigérer.

Servir dans des coupes à sorbet avec une garniture de fraises, de framboises ou de noix de coco râpée.

Variante

Remplacer un avocat par une banane.

Pouding aux bananes

(4 ou 5 portions)

2 c à soupe d'huile
80 ml de farine de blé entier
360 ml de lait
120 ml de miel ou de sirop d'érable
2 jaunes d'œufs battus
1 c à thé de vanille

biscuits Graham faits à la maison (voir recette p. 205)
2 ou 3 bananes tranchées en rondelles

2 blancs d'œufs
2 c à soupe de sirop d'érable

Chauffer doucement l'huile et la farine, puis délayer peu à peu avec le lait en remuant sans arrêt jusqu'à ce que le mélange épaississe. Toujours à feu doux et en continuant de brasser, ajouter graduellement le miel, les jaunes d'oeufs et la vanille. Retirer du feu quand la préparation a pris la consistance d'une crème très épaisse et onctueuse.

Couvrir le fond d'un plat à gratiner d'une couche de biscuits Graham puis y superposer un rang de bananes, suivi d'une couche de crème.

Répéter ces dernières opérations dans le même ordre.

Pour finir, monter les blancs d'œufs en neige ferme et en garnir le dessus du plat.

Cuire au four à 200°C de 3 à 4 minutes pour dorer la meringue.

Variante

Remplacer les bananes par des pêches ou des fraises.

Rhubarbe au four

(6 portions)

1440 ml de rhubarbe tranchée en rondelles minces (environ 1 cm)
360 ml de raisins secs
80 ml de sirop d'érable
120 ml de jus de pomme
2 c à soupe de tapioca

Mélanger tous les ingrédients.

Mettre dans un plat à gratiner. Couvrir.

Cuire au four à 180°C pendant 35 minutes.

Servir chaud ou froid.

Suggestion

Excellent avec du yoghourt au petit déjeuner.

Tarte de la campagne

(avoine et sirop d'érable)

3 œufs battus
60 ml de sirop d'érable
240 ml de miel
160 ml de flocons d'avoine (gruau)
160 ml de noix de coco râpée
1 c à soupe d'huile
1 c à thé de vanille
120 ml de noix hachées ou de pacanes (facultatif)

1 croûte de tarte non cuite

Mélanger tous les ingrédients. Verser dans la croûte.

Cuire au four à 190°C pendant 30 minutes.

Note : Voilà un dessert très riche dont le goût rappelle celui d'une tarte aux pacanes.

Tarte à la citrouille

480 ml de pulpe de citrouille cuite et réduite en purée
120 ml de mélasse
3 œufs battus
120 ml de raisins secs
60 ml de lait
1 c à thé de cannelle
une pincée de clous de girofle moulus
1/2 c à thé de gingembre
1/2 c à thé de muscade
180 ml de noix de Grenoble hachées

1 croûte de tarte non cuite (voir recettes pp. 230 et 231)

Battre la purée de citrouille avec tous les autres ingrédients.

Verser cette préparation dans une croûte de tarte non cuite.

Cuire au four à 180°C de 40 à 45 minutes.

Tarte aux patates douces

- 3 ou 4 patates douces de taille moyenne
- 180 ml de miel
- 1/4 c à thé de sel
- 3 c à soupe de lait
- 1 c à soupe de jus de citron
- 1/2 c à thé de cannelle
- 1/4 c à thé de muscade
- 2 œufs battus
- 1 croûte de tarte non cuite (voir recettes pp. 230 et 231)

Cuire les patates selon la méthode suivante : couper les patates en gros morceaux et les faire cuire à la vapeur dans une marmite bien couverte remplie d'une tasse d'eau : les patates n'ont pas besoin d'être recouvertes d'eau pour bien cuire. Quand les patates sont bien tendres, les laisser refroidir, puis enlever la pelure, qui se détachera facilement.

Réduire les patates en purée et les mélanger avec tous les autres ingrédients sauf les œufs.

Battre les œufs et les incorporer à la préparation.

Verser le tout dans une croûte de tarte non cuite.

Cuire au four à 180°C de 45 à 55 minutes.

Garnir de yoghourt aromatisé de miel et de vanille, de noix de Grenoble hachées ou de pacanes.

Tarte aux pommes et aux raisins secs

960 ml de pommes tranchées
240 ml de raisins secs
2 c à soupe de jus de citron

120 ml de miel
1 c à soupe d'arrow-root
une pincée de cannelle, ou plus suivant le goût

2 croûtes de tarte non cuites (voir recettes pp. 230 et 231)

Laver les pommes, les équeuter mais ne pas enlever la peau.

Mêler les pommes et les raisins et les aciduler avec le jus de citron.

Dissoudre l'arrow-root dans le miel et verser le liquide sur les fruits. Remuer pour bien enrober les fruits. Saupoudrer de cannelle suivant le goût.

Verser la garniture de fruits dans la croûte de tarte du fond. Couvrir de la seconde abaisse. Presser les bords de la pâte. Entailler la pâte pour permettre aux vapeurs de s'échapper.

Cuire au four à 180°C de 40 à 45 minutes, jusqu'à ce que la croûte supérieure soit dorée et que la garniture bouillonne.

Croûte de tarte de blé entier

(2 croûtes)

360 ml de farine de blé entier à pâtisserie
½ c à thé de sel

80 ml d'huile
60 ml d'eau très chaude

Mêler la farine et le sel.

Mesurer l'huile dans une tasse graduée. Verser l'eau chaude. *Ne pas remuer.*

Verser peu à peu le liquide sur la farine. Sans trop remuer, mélanger les ingrédients jusqu'à ce que la pâte décolle des parois du bol et forme une masse homogène.

Diviser la pâte en deux.

Placer chaque morceau de pâte entre deux feuilles de papier ciré et abaisser au rouleau.

Retirer délicatement la feuille du dessus.

Soulever l'abaisse en tenant les extrémités de la feuille et renverser celle-ci sur le moule à tarte.

Retirer avec précaution la feuille qui reste. Disposer l'abaisse dans le moule.

Verser la garniture désirée.

Disposer de la même façon la croûte supérieure. Presser les bords.

Cuire la tarte selon les indications de la recette.

Croûte de tarte des débutants

(une méthode rapide et facile pour faire des fonds de tarte parfaits de 23 cm de diamètre)

240 ml de farine de blé entier à pâtisserie
1/4 c à thé de sel

60 ml d'huile
3 c à soupe d'eau

Mêler la farine et le sel dans le moule à tarte.

Verser l'huile et l'eau dans une tasse à mesurer et battre à la fourchette jusqu'à ce que l'huile se soit fondue dans l'eau.

Verser le liquide en filet sur la farine et remuer délicatement afin d'imprégner la farine.

Avec le bout des doigts, presser la pâte dans le moule le plus uniformément possible.

Piquer avec une fourchette le fond et les côtés de la pâte.

Cuire au four à 190°C de 15 à 20 minutes ou remplir de garniture et cuire selon les indications de la recette.

Sandwiches et tartinades

N'allez pas croire qu'en décidant de ne pas manger de viande vous vous condamnez désormais à être limité dans votre choix de sandwiches ! Voici quelques exemples dont vous pourrez vous inspirer pour créer vos propres sandwiches, en ayant toujours en tête, bien sûr, la complémentarité des protéines.

1. Parsemez de fromage une tranche de pain de grain entier légèrement rôtie. Saupoudrez-y un mélange de graines de tournesol, de sésame et de citrouille, assaisonnée d'une pincée de varech ou de sel de mer. Couvrez le tout d'échalotes émincées. Faites griller au four jusqu'à ce que le fromage frémisse.

2. Réduire en purée la pulpe d'un avocat mûr. Ajoutez-y de l'huile d'olive, du jus de citron, du sel de mer et de l'ail suivant votre goût. Étendre cette tartinade sur une tranche de pain de grain entier et saupoudrez-y une pincée de persil. Pour un repas léger et rapide, servez ce sandwich avec une soupe aux haricots.

3. Tartinez une tranche de pain de grain entier de beurre de sésame, de tahini fouetté ou de trempette au tahini (voir recettes) et garnissez-la de germes de luzerne.

4. Étendez du beurre d'arachides enrichi (voir recette) sur une tranche de pain de grain entier et saupoudrez-la de graines de tournesol et de raisins secs.

5. Faites légèrement griller une tranche de pain de grain entier. Recouvrez-la d'une tranche de fromage et d'une rondelle épaisse de tomate. Assaisonnez le tout de sel de mer, d'ail émincé et de basilic. Faites griller au four jusqu'à ce que le fromage frémisse.
6. Pizza-minute : Couvrez de sauce tomate une tranche de pain de grain entier et saupoudrez-y du fromage râpé. Placez sous le gril du four jusqu'à ce que le fromage frémisse.
7. Mélangez avec de la mayonnaise maison vos restes de haricots cuits, de pain aux noix ou aux haricots. Étendez cette tartinade sur une tranche de pain de grain entier et garnissez le tout de fromage, de laitue, de tranches de tomate, etc.
8. Garnissez de tranches de pomme croustillantes une tranche de pain de grain entier recouverte de beurre de tournesol. (Excellent aussi au petit déjeuner.)

Beurre à l'ail

environ 230 g de beurre ramolli ou de margarine

8 gousses d'ail pressées
1/2 c à thé de sel
2 c à soupe de persil haché menu

Battre en crème tous les ingrédients.

Toasts à l'ail

Étendre du beurre à l'ail sur des tranches de pain fait à la maison et faire dorer sous le gril du four.

Beurre d'arachides enrichi

120 ml de beurre d'arachides naturel
3 c à soupe de miel ou de sirop d'érable
2 c à soupe de lait en poudre

Mélanger tous les ingrédients.

Note : Ceux qui n'aiment pas le beurre d'arachides naturel disent souvent que c'est parce qu'il colle trop au palais... Eh bien, leur raison ne tient plus maintenant : voici un beurre d'arachides naturel, très riche en protéines ET QUI NE COLLE PAS !

Beurre de tournesol

(1 tasse)

360 ml de graines de tournesol
120 ml d'huile de tournesol
1/4 c à thé de sel de mer

Griller légèrement les graines en les remuant constamment dans une poêle non huilée chauffée à feu vif.

Mettre dans le bol du mélangeur avec l'huile et le sel et battre à haute vitesse jusqu'à ce que le mélange ait une consistance onctueuse.

Servir sur des toasts, des craquelins ou dans les sandwiches.

Confiture de dattes

(600 ml)

600 ml de dattes hachées
360 ml d'eau très chaude
2 c à thé de zeste d'orange râpé très fin (la partie blanche sous l'écorce du fruit)

Laisser tremper les dattes dans l'eau pour qu'elles se ramollissent.

Les mettre dans le mélangeur avec le zeste d'orange et battre jusqu'au moment où les dattes prendront la forme d'une purée.

Conserver au réfrigérateur dans un récipient couvert.

Une confiture naturellement sucrée, qui a retenu tous ses principes nutritifs puisqu'elle n'est pas cuite.

Purée de pois chiches

(donne 480 ml)

480 ml de pois chiches bien cuits
120 ml de beurre de sésame
60 ml d'huile d'olive
80 ml de jus de citron frais
2 ou 3 gousses d'ail écrasées
1/2 c à thé de sel
1 c à thé de menthe séchée (ou 2 c à soupe de menthe fraîche)

À l'aide d'un pilon à patates, écrasez tous les ingrédients en purée.

OU

Mettre tous les ingrédients sauf les pois dans le mélangeur, et ajouter graduellement les pois.

Si le mélange devient trop épais, ajouter un peu de l'eau de cuisson des pois chiches.

Servez sur des craquelins de blé entier ou sur des tranches de pain, avec des germes de luzerne et du fromage.

Note : Confectionnez des canapés absolument délectables en tartinant avec ce pâté de petits carrés de pain grillé : ajoutez-y un morceau d'olive noire, un soupçon de persil.

Ricotta du petit déjeuner

(donne 180 ml de fromage à tartiner)

160 ml de fromage ricotta
2 c à soupe de jus d'orange
1/2 c à thé de cannelle
80 ml de raisins secs
1 c à thé de miel
2 c à soupe de noix hachées menu (facultatif)

Mélanger tous les ingrédients.

Tartiner ce fromage sur des toasts de grain entier.

Variante

En saison, remplacer les raisins secs par des framboises ou des cerises fraîches.

Tahini fouetté

60 ml de tahini
4 c à soupe d'eau

À l'aide d'une baguette chinoise, incorporer l'eau au tahini en versant 1 c. à soupe.

Continuer de remuer avec la baguette jusqu'à ce que le tahini devienne léger et mousseux comme de la crème fouettée.

En tartiner le pain grillé, les sandwiches, les canapés.

Note : L'addition d'eau au tahini a pour effet de le rendre plus épais.

Tartinade

(donne 240 ml de fromage assaisonné à tartiner)

160 ml de fromage ricotta
60 ml de cheddar fort ou autre fromage du genre, râpé fin
3 c à soupe de parmesan râpé fin
1 c à soupe d'oignon haché menu
2 c à soupe d'olives noires émincées
2 c à soupe de persil haché menu
3 c à soupe de mayonnaise maison (voir recette p. 193)
1 c à thé de tamari

Mélanger tous les ingrédients.

Tartiner de ce mélange des craquelins ou du pain fait à la maison.

Trempette au tahini

60 ml de tahini
2 c à soupe d'eau
2 c à soupe de jus de citron
1 ou 2 gousses d'ail pressées
1/4 c à thé de sel

Ajouter l'eau et le jus de citron au tahini, une cuillerée à soupe à la fois, en remuant à la fourchette ou avec une baguette.

Quand le mélange épaissi est bien lié, ajouter l'ail et saler.

Tartiner sur des craquelins de grain entier, des morceaux de céleri, du zwieback (voir recette p. 74) ou des tranches de pain grillé.

Boissons

De toutes les boissons connues, l'eau pure reste sans contredit la plus saine, la plus rafraîchissante et la plus économique. De l'avis des spécialistes en nutrition, c'est aussi la seule boisson dont notre organisme a un besoin vital. On recommande de boire au moins 1 litre d'eau par jour, à raison d'un grand verre à jeun tous les matins et de quelques autres pendant la journée, entre les repas.

La pureté de l'eau pose un problème majeur de nos jours. Si votre eau provient d'un puits ou d'une source, remerciez-en le ciel et buvez sans contrainte. Si au contraire elle provient d'un réseau de canalisations, cela vaut la peine d'acheter de l'eau de source en bouteilles : c'est la seule façon possible de vous assurer contre les dangers de la pollution. Ce n'est pas un luxe d'acheter de l'eau de source quand on songe au prix élevé de ces boissons néfastes qui abondent sur le marché : boissons gazeuses, alcool, café, etc.

Un bon jus de fruits ne contient ni sucre, ni additifs alimentaires. Méfiez-vous des jus de fruits à base de concentré, car ils ont très probablement été dilués dans de l'eau de qualité douteuse. L'achat d'un extracteur à jus est un investissement précieux : vous obtenez instantanément, sous forme liquide, toutes les vitamines contenues dans les fruits.

Innombrables sont les plantes dont les feuilles, les fleurs ou les racines possèdent des vertus thérapeutiques. L'énumération de toutes ces herbes nécessiterait un livre à elle seule. Sans que nous le sachions, nous sommes environnés au printemps et en été d'herbes bienfaisantes qui poussent innocemment dans les champs ou en bordures de nos maisons : la verge d'or, les feuilles de framboisier et la camomille en sont un bon exemple. Les tisanes ne sont pas réservées aux malades ou aux personnes âgées : on peut en boire n'importe quand, en toute occasion : à la fin d'une randonnée de ski de fond, à la « pause-café », qui deviendra « pause-tisane », à la fin d'un repas, à la collation des enfants. Il est fortement recommandé d'acheter vos herbes en vrac dans les grands magasins d'aliments naturels : les sachets en boîte, les cubes, les contenants de toute sorte vous reviendront deux ou trois fois plus cher.

Pour faire une infusion, mesurer 1 c. à thé d'herbes sèches ou 2 c. à soupe d'herbes fraîches par tasse. Jetez dans la théière, couvrez d'eau bouillante, mettez le couvercle et laissez infuser de 10 à 15 minutes. Vous pouvez aromatiser votre tisane d'un peu de citron ou la sucrer avec du miel.

Voici une liste non exhaustive d'herbes reconnues pour leur bon goût et leurs propriétés médicinales.

Tisanes

La bourrache officinale (borago officinalis L.)

Elle pousse très bien dans nos régions. On peut planter les graines en pleine terre. Les jeunes feuilles qui précèdent la floraison ont une saveur qui rappelle celle du concombre et peuvent se consommer en salade. La plante forme de très jolies fleurs, roses au moment de l'éclosion et qui deviennent bleues par la suite, dont on se sert pour enjoliver les punchs d'été. (On coupe la tige et on laisse flotter la fleur à la surface du liquide.) La tisane de bourrache purifie le sang, calme la fièvre et débarrasse l'organisme des déchets.

La camomille (matricaria chamomilla ou anthemis nobilis)

Elle pousse à l'état sauvage. C'est un bon tonique général. Elle favorise la digestion et combat la fièvre. Appliquée après le shampooing, une infusion de camomille blondit légèrement les cheveux. En compresses, elle repose les yeux fatigués.

Le fenouil doux (foeniculum officinalis)

Une plante haute, gracieuse et fournie dont la tige blanche peut se manger comme du céleri. Le fenouil pousse bien dans nos jardins québécois. Ses feuilles semblables à des fougères relèvent le goût des salades et des légumes. Infusées, elles ont des propriétés digestives : elles permettent l'expulsion des gaz intestinaux et combattent les coliques. Les graines s'emploient comme condiment dans les marinades et les pizzas. On la recommande aux personnes qui désirent perdre du poids.

Le trèfle rouge ou trèfle des prés (trifolium protense)

Il pousse à l'état sauvage. En infusion, le trèfle possède une saveur douce et agréable. Il purifie le sang. Certains prétendent que c'est un remède contre le cancer.

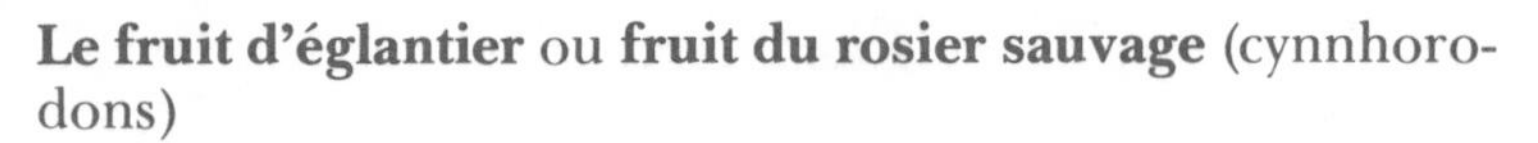

Le fruit d'églantier ou **fruit du rosier sauvage** (cynnhorodons)

Excellente source de vitamine C. L'infusion a une jolie teinte rose et un goût légèrement parfumé.

La menthe poivrée (mentha piperita)

C'est un stimulant léger et un remède éprouvé contre les refroidissements, la fièvre et les gaz intestinaux.

La menthe verte (mentha viridis)

Employée traditionnellement pour le thé marocain, cette herbe possède une saveur très agréable qui plaît tout particulièrement aux enfants. Elle est calmante et digestive, elle calme les nausées.

Le thé des bois (gaultheria procumbens L.)

Il pousse à l'état sauvage. L'infusion, au goût très frais, stimule la digestion. Quelques pincées de feuilles, jetées dans du miel, le parfument agréablement.

Boisson énergétique à la luzerne

(1 portion)

240 ml de jus d'ananas non sucré
une poignée de germes de luzerne
1 c à soupe de beurre d'arachides

Battre tous les ingrédients dans le mélangeur. Servir.

Boisson aux fraises et à l'orange

(3 tasses)

240 ml de jus d'orange fraîchement extrait
240 ml de yoghourt nature
360 ml de fraises entières
1 c à soupe de miel

Battre tous les ingrédients dans le mélangeur.

Servir immédiatement.

Note : Vous pouvez employer des fraises congelées pour confectionner cette boisson. Inutile de les faire décongeler avant de les mettre dans le mélangeur.

Caroubanane

(480 ml)

180 ml de lait
1 grosse banane mûre tranchée
1 c à thé de miel
2 c à thé de poudre de caroube
quelques gouttes de vanille

Battre tous les ingrédients à vitesse moyenne dans le mélangeur.

Lait aux bananes

(2 portions)

environ 1/2 litre de lait
1 grosse banane mûre
2 c à thé de miel
1 c à thé de vanille
une pincée de cannelle

Verser tous les ingrédients dans le bol du mélangeur et battre quelques instants. Employer de préférence du lait 2% très froid.

Lait aux fraises

(2 portions)

environ 1/2 litre de lait froid
160 ml de fraises congelées, non sucrées
2 c à thé de miel

Battre le lait et les fraises quelques instants dans le mélangeur.

Variante

Si vous n'avez pas de fraises, vous pouvez tout de même vous confectionner un lait de pêches, de bleuets, de dattes et bananes, etc.

Lait de poule

(pour 2 ou 3 personnes)

360 ml de lait écrémé
2 œufs
2 c à soupe de lait en poudre
1 c à soupe de miel
1 c à thé de vanille
muscade

Verser tous les ingrédients dans la jarre du mélangeur et battre quelques instants.

Saupoudrer de muscade et servir immédiatement.

Note : Cette boisson est très riche en protéines. Elle peut servir de supplément alimentaire.

Limonade rose

(4 portions)

le jus de deux citrons
960 ml d'eau froide
240 ml de fraises
4 c à thé de miel

Mettre les ingrédients dans le bol du mélangeur et battre quelques instants.

Servir immédiatement.

Punch de juin

(jus de pomme, rhubarbe et fraises)

480 ml de jus de pomme
1 branche de rhubarbe de grosseur moyenne, coupée en morceaux
240 ml de fraises congelées non sucrées

Battre tous les ingrédients quelques instants au mélangeur. Servir immédiatement.

Thé solaire

(4 portions)

1 jour d'été ensoleillé
1320 ml d'eau de source
120 ml d'herbes à tisane (menthe, verveine, camomille, etc.)

Vers midi, quand le soleil est haut, mettre le pot contenant l'eau et les herbes en plein soleil.

Vers 5 heures dans l'après-midi, votre thé solaire sera prêt. Ajouter du miel et de la glace si désiré.

Une façon très simple d'utiliser directement l'énergie solaire !

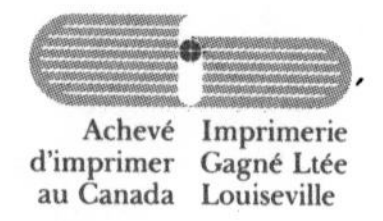

Achevé d'imprimer au Canada
Imprimerie Gagné Ltée Louiseville